LA VIDA ÉS BREU I EL DESIG INFINIT

Patrick Lapeyre

La vida és breu i el desig infinit

Traducció de Martí Bassets

Proa
A Tot Vent

Primera edició en llengua catalana: novembre del 2012

Títol original francès: *La vie est brève et le désir sans fin*

© del text, P.O.L., 2010
© de la traducció: Martí Bassets, 2011

Drets exclusius en llengua catalana:
Raval Edicions SLU, Proa
Peu de la Creu, 4
08001 Barcelona
www.proa.cat

ISBN: 978-84-7588-245-1
Dipòsit Legal: B-29.285-2012
Composició: Víctor Igual, SL
Impressió: Reinbook

1

El sol sense vent comença a cremar. El cotxe blanc està aparcat una mica més avall de la carretera, a l'entrada d'un camí enfonsat vorejat d'arbustos i de matolls de falguera.

A dins del cotxe, un home de cabells rinxolats sembla que dormi amb els ulls oberts, recolzant la templa contra el vidre. Té la pell fosca, els ulls opacs amb unes llargues pestanyes molt fines, semblants a les d'un nen.

L'home es diu Blériot, acaba de fer quaranta-un anys, i avui –dia de l'Ascensió– porta una corbateta de cuir negre i unes Converse vermelles.

Mentre els escassos cotxes semblen tremolar sobre la carretera a causa de la distorsió de la calor, ell continua escrutant el paisatge –les pastures, els ramats que busquen ombra– tan immòbil al seu seient com si comptés mentalment cada animal. Tot seguit, sense perdre en cap moment el fil de l'atenció, acaba sortint del cotxe amb dificultats mentre esbossa uns quants estiraments i es fa un massatge als ronyons anquilosats, abans d'instal·lar-se sobre el capó amb les cames encreuades.

De cop i volta, li comença a sonar el mòbil al seient del darrere del cotxe, però ell no es mou. Com si no hi fos.

En Blériot va adquirir aquest estrany poder de ser alhora present i absent sense cap entrenament ni esforç concret, només escoltant a l'atzar una peça de piano mentre observava els finestrons dels seus veïns.

Més tard, es va adonar que qualsevol so podia fer el fet perfectament, amb la condició que fixés un punt a mitja distància i bloquegés els pulmons com un bussejador en apnea.

És exactament el que fa en aquest instant, fins que els pulmons estiguin a punt d'explotar-li i es vegi obligat a deixar anar l'aire.

Tot d'una se sent alleugerit, imponderable, mentre la sang li reflueix de mica en mica cap a les extremitats.

Aleshores encén un cigarret i s'adona que fa dos dies que no ha menjat res.

Condueix uns trenta quilòmetres a la recerca d'un restaurant una mica atractiu i, ja cansat de buscar, acaba aparcant davant un edifici d'una sola planta envoltat d'una terrassa de fusta i de cinc o sis palmeres polsegoses.

A dins, l'aire és humit i gairebé estàtic, malgrat les finestres obertes i el gran ventilador blau col·locat sobre la barra.

No queda gairebé ningú al local en aquesta hora, llevat de tres camioners espanyols i d'una parella exhausta que sembla que hagi perdut les ganes de parlar-se. L'aire que remena el ventilador recorre de baix a dalt la cara d'una cambrera darrere la barra, enfeinada a pentinar-se els cabells rossos.

És un dia qualsevol de principis d'estiu, en què en Blériot, que no espera res ni ningú, està calculant mentre es menja l'amanida l'hora en què arribarà a les envistes dels primers contraforts de les Cevenes, quan la melodia del seu telèfon mòbil –s'assembla a les trompetes del destí– torna a ressonar en el buit de la tarda.

Louis, sóc jo, diu de seguida la Nora amb la seva veu dèbil, del tot amortida, que reconeixeria entre mil, ara mateix sóc a Amiens a casa d'uns amics anglesos. En principi, arribo d'aquí a uns dies a París.

A París?, fa ell aixecant-se precipitadament per anar cap al lavabo, lluny d'orelles indiscretes.

Li truca des d'un cafè de davant de l'estació.

I tu, li pregunta ella, on ets?

On sóc?, repeteix ell, perquè té el costum de pensar a poc a poc –tan a poc a poc que en general és l'últim a entendre el que succeeix a la seva pròpia vida.

Vaig a veure els meus pares i estic dinant en un lloc a prop de Rodez, comença ell, abans d'adonar-se –els llavis se li continuen movent en el buit– que la comunicació s'ha tallat.

Prova de tornar a trucar diverses vegades, però es troba una vegada i una altra amb la mateixa veu enregistrada: Please, leave a message after the bip.

En aquest instant, el llum del lavabo s'apaga i en Blériot es queda dret en la foscor, amb el telèfon a la mà, sense buscar l'interruptor, ni tan sols provar d'obrir la porta, com si necessités recollir-se en la foscor per adonar-se del que li passa.

Perquè feia dos anys que esperava aquesta trucada.

Quan torna a la taula, es queda un moment amb els braços penjant davant el plat, sentint com una lleugera pujada de febre, acompanyada de calfreds entre les espatlles.

Hi ha noies que potser desapareixen per tenir un dia el plaer de tornar, conjectura ell tot seguit buscant el tovalló.

Aleshores demana una altra copa de vi i decideix acabar-se la carn freda, fent com si res i sense abandonar aquella expressió una mica capficada amb la qual acostuma a disfressar les seves reaccions.

Mentre els camioners espanyols comencen una partida de cartes –darrere d'ell, la parella en crisi encara no ha intercanviat cap paraula–, ell s'està ben dret a la cadira, amb un ple domini d'ell mateix, i, tret de la lleugera tremolor de mans, res no pot fer sospitar en quina perplexitat, en quin estat emocional es troba des d'aquella trucada.

Mentre acluca una mica els ulls girat cap a la finestra, en Blériot experimenta dos sentiments contradictoris, sobre els quals es pregunta, mentre hi reflexiona, si el segon, l'excitació, no és una mena de cortina o d'engany fet per distreure'l del primer, que no té nom, però que podria ser com una mena de pressentiment i de por de patir.

Però al mateix temps, com més s'ho diu, més augmenta la seva excitació per desviar-lo de l'aprensió i fer-lo pensar en l'ocasió que té de poder-la retrobar a París.

Abans de tornar a pujar al cotxe, prova de trucar-li un cop més al mòbil, sense èxit. Torna a sentir el mateix missatge en anglès. Fet que gairebé l'alleuja, de tan indecís com està.

Com que ha tingut la prudència de no fer cap canvi en el seu programa, tot seguit truca als seus pares per avisar-los que arribarà a casa seva a primera hora del vespre, després truca a la seva dona per no res en concret, només per parlar-hi i de passada comprovar que no està al corrent de res.

Digui?, fa la veu de la seva dona. Al mateix moment, en Blériot sent que les cames li flaquegen com si estigués a punt de caure, i té el temps just de penjar.

És la calor, pensa veient davant seu la parella en crisi fugint en un descapotable vermell, com en Jack Palance i la Brigitte Bardot.

Després es queda uns quants minuts arraulit dins del cotxe amb una lleugera nàusea. Tot mirant la desfilada dels camions per la carretera entre les rengleres de plàtans, prova de recordar l'última vegada que va veure la Nora, fa dos anys, i s'adona que n'és incapaç.

Per molt que es torturi la memòria, ja no hi troba res, cap so, cap imatge. Com si la seva consciència hagués esborrat l'escena perquè ell l'hagi de tornar a repetir. Perquè l'última vegada torni novament.

Tot seguit, condueix una bona estona sense pensar en ella, conduint per conduir, enmig de les muntanyes buides i dels núvols alts suspesos en vol geoestacionari sobre la vall.

Com que fa calor, condueix amb tots els vidres apujats i l'aire condicionat s'escola en silenci dins el vehicle com un gas anestèsic que li atenua el sentiment de realitat i li esmussa els records immediats. Fins al punt que tot el que li acaba de passar, la trucada de la Nora, l'anunci del seva tornada, la comunicació interrompuda, ara es veu afectat per un grau d'incertesa tan gran que també s'ho podria haver imaginat.

Potser perquè certs esdeveniments esperats durant massa temps –dos anys i dos mesos en el seu cas– superen el nostre poder de reacció i ens desborden la consciència, i després només es poden assimilar en forma de somni.

En Blériot es desperta de debò en reconèixer la perifèria de Millau, el seu viaducte, la seva autopista embussada, les seves cases tristes i els seus anuncis d'hamburgueses a l'horitzó, que desperten la cobdícia dels nens i desmoralitzen els animals.

Aleshores agafa la primera sortida a la dreta per deixar l'autopista i es troba en una mena de zona perifèrica, vorejant una casa de maternitat, una barriada de pisos de protecció oficial, dos o tres comerços encara tancats, un cementiri –és tota una vida que hi desfila–, abans d'agafar un llarg pendent que s'endinsa cap a uns turons coberts de bardissa.

Aquest cop està sol a la carretera i per això condueix amb tanta prudència, com si participés en una missió d'observació en un país desconegut. Veu a la llunyania uns altiplans pedregosos envoltats de cornises i de penya-segats al peu dels quals s'albira de tant en tant un riu amagat pels arbres. Aleshores es fa la reflexió que probablement ningú no el pot localitzar a aquesta altitud, ni tampoc al revés, perquè no hi deu haver ni una antena telefònica a quilòmetres de distància.

Si volgués, podria desaparèixer sense fer soroll, canviar de nom, refer la seva vida al fons d'una vall perduda, casar-se amb una pastora. (De vegades, a en Blériot li encanta fer-se por.)

Aparca el cotxe a l'ombra, en una zona deserta, i es queda un moment, el nas al vent, aclaparat per una olor de resina i d'herba tallada mentre busca a la guantera una crema de protecció solar amb la qual s'unta generosament la cara i els avantbraços, després improvisa un petit partit de bàsquet imaginari per distendre els músculs i torna al volant.

Se sent rejovenit de cop i volta.

Durant dos anys, tancat en el cercle de la seva pena, s'ha esforçat metòdicament a envellir. Ha viscut suspès d'un fil invisible, sense aixecar cap, sense amoïnar-se per ningú, ocupat amb els seus petits assumptes i els seus maldecaps, renunciant a tota la resta com si es volgués apagar.

D'altra banda, gairebé s'havia apagat quan ella li ha trucat.

Encara sota els efectes d'aquesta trucada, en Blériot escolta distret uns aires de Massenet, conduint ara amb un plaer indolent per aquestes carreteres sinuoses dels turons de les Cevenes, ombrejades per uns castanyers foscos. Fins que percep, sobresortint, un poblet que sembla que no figura al seu mapa, i decideix tot d'una fer una parada i anar a comprar tabac.

El poble, construït amb pedres vermelles, només té dos carrers paral·lels que van a parar a una placeta, la qual envolta en quincunci l'ajuntament i el cafè i estanc del poble. En Blériot hi compra un paquet de rossos i es concedeix, per celebrar la seva nova joventut, una canya de cervesa que degusta a la barra, mentre escolta sense que es noti com els autòctons asseguts a la terrassa discuteixen de subvencions i de política agrícola, segurament més per desvagament que no pas per convicció sindical. Sota les seves gorres, semblen un erol de bolets xerrameques esperant que es faci fosc.

Quan torna al carrer, se sent de nou marejat per la calor i es queda una estona amb l'esquena adossada a la paret de l'ajuntament, aprofitant l'ombra del pati i el lleuger corrent d'aire que li refresca les cames.

Després travessa la plaça i es dirigeix amb pas decidit cap al cotxe. No és que tingui una pressa especial a trobar-se amb els seus pares –si fos per ell, tornaria immediatament a demanar una cervesa–, però des de la trucada de la Nora, alguna cosa sorda en ell, impaciència o ansietat, l'empeny a anar cap endavant.

En Blériot, doncs, doblega el seu llarg cos prim, gairebé tubular, per seure al volant, es torna a posar les ulleres de sol, s'ajusta els auriculars –quan s'és jove és per tota la vida– i arrenca a tota velocitat.

2

Aquest mateix dia del mes de maig, com que la diferència horària entre Londres i París és d'una hora són si fa no fa dos quarts de cinc, quan en Murphy Blomdale empeny la porta del seu pis, deixa les maletes, i al cap de dos o tres minuts té la gèlida impressió que la Nora ja no hi és.

Al seu voltant, tot té un aire estranyament tranquil i inanimat, les finestres que donen al pati s'han quedat obertes i el silenci s'ha ficat al pis durant tres dies, instal·lant-se als racons més ínfims, tot ressonant de diferent manera d'habitació en habitació. El lloc no li havia semblat mai tan espaiós i abandonat.

El temps mateix sembla immòbil, inert, exactament com si aquest instant de la seva vida, aquest tros de tarda, s'hagués contret tot sencer i no li hagués de passar mai més res.

Espolsant-se aquest encantament mòrbid, en Murphy continua la seva exploració, passant de la sala al despatx, després del despatx al dormitori: l'armari és buit, els calaixos regirats com després d'un robatori i, en comptes dels marcs amb les fotos, sobre el vetllador només hi ha una fina capa de pols amb un manat de claus.

Ja està tot dit.

Qualsevol persona al lloc d'ell ja s'hauria rendit a l'evidència. Però ell no. No s'ho acaba de creure. Per això es mira al mirall per veure si fa cara de creure-s'ho, però no, té els ulls d'algú que no s'ho creu.

Una negació semblant de la realitat ha de tenir per força una explicació. En Murphy Blomdale és un noi voluntariós, americà de soca-rel, alhora auster i hiperactiu, citat com a exemple pel seus caps; un noi que cada dia ha d'afrontar l'anarquia dels fluxos financers, la imprevisió dels mercats, la rapidesa dels canvis i la volatilitat dels capitals. En fi, res que el pugui preparar per convertir-se un dia en l'heroi romàntic d'un drama amorós.

Aquest paper que tot d'una li atribueix el destí és tan semblant a un rol que no li correspon que prefereix fer com si no hagués passat res.

En Murphy, que encara té a la mà el manat de claus de la Nora, mira un instant al carrer per creure en alguna cosa.

Espera veure-hi uns vianants o uns nens que surten d'escola, els quals el tranquil·litzarien traient-lo del seu malson. Però a aquesta hora, Liverpool Road s'assembla a una llarga artèria efervescent, tan animada com el desert del Gobi.

La llum es reflecteix a les voreres amb una intensitat poc habitual, gairebé inquietant.

Aleshores té el reflex de treure's el telèfon de la butxaca interior i de marcar el número de la Nora, una desena de vegades. Com que no contesta, prova de localitzar la seva germana Dorothée a Greenwich, sense més èxit.

Ja deu fer bastant de temps que no viu a Londres, pensa ell mentre es renta les mans com si el telèfon s'hagués fos.

Per tallar en sec l'ansietat i fer-se una idea una mica més objectiva de la situació, decideix reprendre les seves indagacions en sentit contrari, començant per l'habitació i el lavabo, i passant després al despatx.

Només troba una sabata oblidada al fons d'un calaix, un cinturó de cuir, un mocador malva, una edició de butxaca de les novel·les de Somerset Maugham, una edició escolar de Milton, una altra de Txèkhov, més unes quantes revistes de moda que desa amb la resta en un prestatge.

Més tard, quan tot s'haurà acabat i només li quedaran retrets, sempre podrà col·locar aquestes relíquies en una vitrina, amb un petit rètol.

Amb aquesta trista perspectiva, decideix tornar a la sala quan veu a contrallum l'empremta d'una de les seves mans marcada sobre el vidre del passadís. Una mà tan diferent, tan viva, que té la impressió que li fa un senyal abans d'esborrar-se.

Aleshores, les cames li fan una curiosa rotació, i es posa a donar voltes sobre si mateix, amb els braços oberts com un patinador, mentre els moviments del seu cos semblen estar del tot desconnectats de la seva consciència.

Si no arriba a tenir el reflex d'agafar una cadira al vol, és probable que hagués acabat estès sobre el parquet.

Un cop s'ha arrepapat a la cadira, en Murphy Blomdale es queda una bona estona prostrat: cames estirades, el dit inútilment premut sobre la tecla del telèfon mòbil, els ulls perduts en el buit, tan mancat de recursos com un home atacat pel no-res.

3

En aquest instant, en Blériot encara no coneix la Nora, i tot això es produeix, per tant, en una altra vida.

És amb la seva dona, una tarda de setembre, a casa dels Bonnet-Smith —uns Verdurin d'estar per casa—, que tenen una finca a la vora de l'Eure envoltada d'un extens jardí arbrat, per on els convidats s'han començat a dispersar en petits grups buscant una mica de frescor.

En Blériot, que no parla amb ningú excepte amb la seva dona, es manté apartat al peu de l'escalinata i, com és habitual, es pregunta què hi fa, allà. Per això, quan la Sabine li anuncia amb una veu una mica brusca —la seva parella passa per un moment difícil— que els seus amics Sophie i Bertrand Laval li proposen de fer una petita excursió pels voltants, ell es disposa a seguir-los, però després s'hi repensa, primer perquè té calor i segon perquè prefereix vagarejar dins la casa.

Li queden trenta minuts abans de trobar-se amb la Nora. Però ell no en sap absolutament res. Tot i així, està preparat. Necessita tenir una història. És probable que tots els homes necessitin, en un moment donat, tenir una història pròpia per convèncer-se que els ha passat alguna cosa interessant i inoblidable un cop a la seva vida.

Però aquesta convicció, en Blériot la va tenir fa temps, quan se'n va anar a viure amb la Sabine, encara que des de llavors l'ha perduda. Cosa que no li impedeix continuar repetint-se a ell mateix —cada vegada és més semblant a l'autosuggestió— que s'ha casat amb la més intel·ligent i amorosa de les dones, la més capaç de fer-lo feliç, i, que si ho hagués de tornar a fer, no ho dubtaria ni un segon.

En realitat, el seu afecte conjugal no ha sigut mai tant vehement com ell pretén, i la seva relació, tot i els lligams de complicitat i de tendresa intermitent, s'ha tornat més o menys incomprensible.

D'altra banda, ningú no entén res al seu voltant.

Però en Blériot prefereix deixar parlar. És una relació sense explicació lògica, com a les històries fabuloses.

Un cop la Sabine ha sortit amb els seus amics, ell es replega dins la casa a la recerca d'una copa de xampany, i es troba flanquejat davant el bufet per un tal Jean-Jacques, amb qui coincideix per tercer cop al dia en el mateix lloc.

Malgrat la seva bona voluntat, en Blériot encara no ha acabat d'entendre si finalment és semiòleg o sociòleg. Potser perquè el vestit blanc i les botines amb botons que porta li evoquen més aviat un cantant italià. A més, té la mania horripilant d'aixecar-se tota l'estona el coll de la jaqueta i de passar-se la mà pels cabells. Fins quan va al lavabo.

Com que tots dos no tenen gran cosa a dir-se, giren discretament el cap, de mutu acord, i van bevent-se la copa de xampany, amb l'esperança de veure algú acollidor amb qui parlar. El primer dels dos que es desempallegui de l'altre haurà guanyat.

És en Blériot que deixen plantat.

Li queden onze minuts.

Dit així, podríem creure que una dona jove desconeguda ja s'està darrere la porta, i que quan entri, en Blériot, en girar-se, sentirà una emoció tan sobtada i imprevisible com una allau.

Però no entra cap dona a l'habitació. Ell és encara davant el bufet, amb la copa a la mà, acorralat entre dues professores d'universitat que critiquen amb duresa una de les seves companyes i un grup d'antics esquerranistes, adherits a la causa del capital, que ara diuen fàstics dels funcionaris. És gairebé un concurs de baixeses.

Mentre en Blériot es pregunta quina necessitat té d'aguantar converses com aquestes, la seva mirada és atreta a la seva dreta per una parella jove sorprenent, que tot d'una li retorna la confiança en el proïsme.

El noi és més aviat alt, entre indolent i avorrit, i fa com si fullegés les pàgines d'una revista d'art que hi ha damunt d'un moble, mentre que la noia, mig amagada darrere d'ell, sembla tan petita, tan transparent, que comparat amb ella el seu company té l'aspecte d'un gegant.

En Blériot, en un estat de receptivitat creixent, es fixa que ella s'aixeca de tant en tant sobre la punta dels peus per parlar-li a l'orella i que ell té una manera graciosa d'inclinar el cap mirant-se-la amb uns ulls marrons que fan joc amb els seus.

Estan tots dos sols, a prop de la porta que dóna al jardí, sense semblar que s'interessin pels altres, ni que vulguin que els altres s'interessin per ells. És com si estiguessin a l'aguait, preparats per fugir al més mínim senyal d'alarma, com una parella de daines temoroses.

En Blériot, que no deixa de perdre'ls de vista per culpa de les anades i vingudes dels altres convidats, emprèn aleshores una maniobra discreta per desplaçar-se a prop d'ells. De passada, li agradaria molt saber un dia per què la bellesa el torna tan fràgil i depenent.

Com fet expressament, quan s'hi va a apropar, reconeix la Valérie Mell, una amiga de la seva dona, que li fa grans gestos des del passadís.

Mentre es dirigeix cap a ella, s'informa de la salut del seu fill —ha patit un accident de moto— i es mostra una mica compassiu, els dos altres ja han desaparegut. Per molt que en Blériot després explori els voltants i torni a dins de la casa, són introbables.

La seva dona també. Fet que el tranquil·litza momentàniament.

Després, es produeix com un col·lapse temporal entre el moment en què ell encara és a dins de la casa, amb la copa de xampany a la mà, reflexionant sobre la por que sempre li ha inspirat el caràcter desconfiat i versàtil de la seva dona, i el moment en què fa la volta al jardí, guiat pel seu instint de predador, i va a parar a una petita terrassa amb una glorieta, a dues passes de la noia d'ulls marrons. Sense el seu company.

Trastornat per aquesta interpolació de l'atzar, en Blériot primer es manté apartat, és evident amb compte de no mirar-la massa fixament.

Mentre ella es gronxa amb la cadira, una mica de perfil, amb els peus recolzats sobre un banc de pedra, ell comprova un cop més que no hi ha ningú al voltant; tot seguit, com que sembla que ella no l'ha vist, es queda palplantat allà, temorós d'indisposar-la i de sobte incapaç de marxar.

Abordar-la com cal, demanar-li permís per seure, trobar les paraules adequades per iniciar una conversa, tot això està objectivament per sobre de les seves forces.

Ja està a punt de girar cua i de marxar com ha vingut quan ella li pregunta de la manera més natural del món si no és amic d'en Paul i l'Elisa.

D'en Paul i l'Elisa?, repeteix ell abaixant-se les ulleres de sol.

En aquest instant, en Blériot, que no s'adona mai de res, en apropar-se-li es fixa que té els llavis secs, les galtes pàl·lides i sedoses, així com un vel lleuger de pigues al voltant dels ulls.

Encara li sembla més insensata que abans.

Però tot i que li costa més del que es pot imaginar, té la

franquesa de confessar-li que no coneix ni en Paul ni l'Elisa. En canvi, coneix un tal Jean-Jacques Baret o Bari, la Sophie i en Bertrand Laval, així com en Robert Bonnet-Smith, el qual, segons ella, no és ningú altre que l'amic de la mare de l'Spencer, el noi amb qui ella viu.

Tot té una explicació.

L'Spencer ha anat a dormir al cotxe, li diu ella, encara fent equilibris amb la cadira, les mans encreuades darrere el cap.

La gent l'avorreix i a més no tolera l'alcohol, afegeix amb un lleuger accent anglès del qual ell encara no s'havia adonat.

Com que tem el moment fatídic en què probablement ella li preguntarà si ha vingut sol, prefereix tallar la conversa sobre l'Spencer i participar-li la seva consternació a propòsit dels altres convidats –en general aquest és un tema que uneix–, amb un esment especial per la colla de professors d'universitat que ocupen tota la casa. N'hi ha a tot arreu. Professors drets, professors asseguts, estirats. Sembla una casa de repòs per a catedràtics.

És el primer cop que en Blériot la veu somriure.

D'altra banda, té una manera molt maca de somriure, ensenyant les puntes de les dents, però ell no fa cap comentari.

Com es diu, vostè?, li pregunta ella tot d'una deixant de gronxar-se.

Blériot, diu ell. Oficialment, em dic Louis Blériot-Ringuet.

Blériot és perquè sóc el fill d'un cosí segon de l'aviador, i Louis perquè el meu pare, enginyer aeronàutic, deu ser l'únic home a la terra que ha volgut anomenar el seu fill Louis Blériot. T'estalvio la història de Ringuet.

Ara, per consolar-me, em dic que Louis Blériot-Ringuet sona una mica com Ray Sugar Robinson o Charlie Bird Parker.

Es nota que és modest, vostè, comenta ella petant-se de riure.

És només per posar un exemple, però si li sembla massa llarg, es pot limitar a dir-me Blériot, com tots els meus amics.

Prefereixo Louis, diu ella sense donar explicacions.

I vostè?, pregunta ell després de dubtar un moment, com si per força hagués de tenir un nom secret.

Nora, contesta ella ben ràpid, Nora Neville. Sóc anglesa per part de mare i mig francesa per la de pare. Crec que els meus avantpassats venien de la regió de Le Havre.

Senyoreta Neville, diu en Blériot en un to falsament solemne, no conec els seus pares, però els agraeixo de tot cor d'haver-la fet néixer. Li asseguro que sóc sincer.

Digui'm Nora, tan sols Nora, li demana ella tot tornant-li el somriure.

Al mateix temps, no pot evitar adonar-se que és un somriure diferent del d'abans, un somriure una mica pensatiu.

Sembla que ella li ha descobert el truc i que li somriu amb la indulgència d'aquelles que ja se n'han trobat desenes d'altres com ell, i saben molt bé quina en porten de cap.

A ell, és evident que no li passa pel cap que potser faria millor de cedir el lloc a un altre.

Perquè en aquest instant –caminen una mica pel fons del jardí, lluny de les mirades–, casat o no casat, amb Spencer o sense Spencer, la qüestió de saber si està fent o no una bestiesa no té gaire pes davant la certesa brutal que aquesta noia és per a ell.

És una cosa molt forta i, alhora, inevitable. El que l'estranya, d'altra banda, no és que sigui tan forta, sinó que sigui tan inevitable.

Ara és tan a prop seu que en Blériot té la impressió que si, per desgràcia o per inadvertència, s'inclina un miqueta massa, caurà entre els seus braços com un somnàmbul.

Com que sembla que ella espera la seva reacció, ell es limita en aquell moment –però sense que hi hagi cap voluntat conscient per part seva– a tocar-li l'orella amb la mà.

No passa res més. Ella no li enretira la mà, tampoc l'hi agafa, per bé que durant unes quantes fraccions de segon el seu braç es manté suspès en l'aire.

Són gairebé les sis, assenyala de sobte la Nora –perquè a partir d'ara hi ha Nora–, estic una mica preocupada.

Jo també, diu ell, mentre per la seva banda sent una estranya alteritat.

Aleshores tornen junts al punt de partida, mirant cap al jardí i la casa, com envaïts de pressentiments.

Què farem, ara?, li pregunta ella de cop i volta amb una veu destrossada. Tens alguna idea?

Però en Blériot, que no ha estat mai enamorat fins aquest extrem, està tan perdut com ella.

4

Just quan en Murphy Blomdale sembla que dormi a la cadira, en Blériot condueix en línia recta com si només busqués esgotar l'espai, mentre els plàtans desfilen en cortines monòtones i el límit de l'horitzó retrocedeix sens fi.

Tot al llarg de la carretera, la calor tremola sobre els camps fins on es perd la vista, amb unes plantacions estranyes i uns animals immòbils que semblen diluïts en la llum de la tarda.

Un cop passat Lodève, afluixa tot d'una deixant per a més tard el tema de la Nora i provant de recordar els noms dels indrets que ha de travessar després d'haver deixat la carretera de Montpeller. Si els seus records són exactes, en primer lloc ha de passar per La Feuillade, fins a un pontet amb una capella, i pujar tot recte cap a Saint-Cernin.

Al cap d'una vintena de quilòmetres, com que encara no veu La Feuillade, decideix aparcar a l'entrada de la primera població que troba i es posa a estudiar altra vegada el mapa de França, amb tots els vidres abaixats per aprofitar l'ombra.

És evident que en un mapa d'una escala com aquesta no s'esmenta cap d'aquests pobles i, per tant, no té la més mínima idea de quina direcció ha de prendre per arribar fins en aquell pontet, el qual potser ha somiat. Decideix, doncs, deixar el cotxe on és i anar a l'encontre del primer passejant que trobi.

S'endinsa pels carrerons d'escales, travessa un seguit de places desertes, on uns crits d'ocell ressonen a l'interior dels patis, abans d'arribar a una esplanada més amunt de les muralles que fa alhora de pàrquing i de passeig. Però no hi veu ningú, excepte una parella de turistes anglesos i tres o quatre nenes en bicicleta que fugen a grans pedalades cap a la pubertat.

Aleshores, amb els auriculars posats, es teletransporta trenta anys enrere, a l'època en què ell mateix s'enfilava pels costers sota el sol de juliol i en què com més pedalejava, més desmesurat i inacabable li semblava l'estiu.

Més avall, distingeix uns quants jardinets arrenglerats al llarg d'un riu amb unes cadires plegables i unes cabanyes de fusta cobertes de glicina, i es queda un moment recolzat a la barana de la terrassa, per gaudir de passada d'una mena de vent inanimat que flota a l'altura de les cames.

És un bon dia per treure el bastó, comenta darrere d'ell un home gras que porta uns pantalons amb peto.

Per treure el bastó?, respon estranyat en Blériot mentre es treu els auriculars.

Sí, el bastó, repeteix l'altre amb una veu ofegada, com si es tractés d'una invitació a seguir-lo fins a la seva cabanya.

En Blériot aleshores fa un pas de costat i observa la cara mandibulosa del seu interlocutor. Busco algú que m'indiqui el camí de Saint-Cernin, li explica ell per esvair tot malentès. Sap quina direcció he d'agafar?

Baixi, tombi a l'esquerra i després altre cop a l'esquerra, fa l'altre amb la mateixa veu ofegada.

En Blériot, que encara no ha entès ben bé què li ha dit, li agraeix de totes maneres l'amabilitat i se'n va sense dir res baixant les escales per arribar fins al cotxe.

A l'altre costat de la carretera, mentre s'acomoda al seient entreveu les reixes d'una finca amb un passeig abandonat, mig envaït per les bardisses, que sembla que porti directe cap al castell de la Bella i la Bèstia. Cosa que, per una estranya correlació, de seguida el fa tornar a pensar en la Nora.

Té ganes de dir-se que durant dos anys ha desitjat amb totes les seves forces que ella tornés i ha tornat. Però és del tot conscient que també es pot dir que durant dos anys ella ha volgut que l'esperés i ell l'ha esperat.

Qui dels dos teledirigeix l'altre?, es pregunta, i aquest cop s'equivoca de direcció després del pontet.

I aquesta vegada no té altre remei que trucar als seus pares.

T'esperem des de les dues, el rep la mare amb aquell to impacient que tan bé li coneix i que el fa tornar immediatament a la realitat.

És l'únic fill d'en Jean-Claude i la Colette Blériot-Ringuet, nascuda Colette Lavallée, enginyer i directora d'escola, respectivament. Quan va néixer, sembla que va fer un crit punyent, tot tremolant de terror com si hagués baixat a la terra en paracaigudes.

Un cop tallat el cordó i llençat el paracaigudes a les escombraries, de seguida es va recloure en una infància esotèrica i silenciosa, i es va tornar un nen solitari i més tard un adolescent malaltís, mentre els seus pares es barallaven furiosament a la seva esquena.

L'animositat de les seves relacions es devia remuntar, segons tota probabilitat, als primers anys de vida en comú, fins al punt que en Blériot va arribar inclús a suposar –la seva infància inacabable li va deixar temps per reflexionar– que si cap dels dos no havia deixat l'altre era per pur esperit de revenja.

Així doncs, una trentena d'anys més tard, s'han retirat a la casa pairal de Saint-Cernin, on es consumeixen d'avorriment i es turmenten tant com poden per passar l'estona.

Quan, al final de la tarda, ell arriba, amb l'escàs equipatge a la mà, el pare està enfeinat cavant l'hort sota un barret de palla, mentre la mare continua al balcó l'eterna conversa telefònica amb la seva germana.

Fins on li arriba la memòria, el seu pare sempre ha sigut una mica un zero a l'esquerra, i encara que hagi estudiat, viatjat i dirigit equips d'enginyers a Àfrica o a Àsia, mentre continuava sent un marit fidel i pacient fins a la inversemblança, el servilisme i les humiliacions expiatòries que li ha infligit la seva dona de manera contínua –amb preferència en públic– han vençut les seves últimes forces de resistència.

Escridassat i privat de paraula, ara no li queda més remei que fumar al garatge i beure porto d'amagat d'ella. Cal haver-los observat in situ per creure-ho.

El seu propi fill es veu obligat a fregar-se els ulls.

Fora d'això, ho reconeix tot: les males pintures penjades a les parets, el mobiliari enllustrat, el gos Billy adormit al sofà –és tan vell que el pare diu que les seves neurones encara es recorden de François Mitterrand–, el llit plegable de la seva habitació i els prestatges de pi, amb les rengleres de volums de Theilhard de Chardin llegats pel seu besoncle Albert i el centenar de novel·les de ciència-ficció de les quals ho ha oblidat pràcticament tot, com si hagués deixat de creure en el futur.

N'està inventariant els títols quan la mare, apareguda per sorpresa, li pregunta a què es deu l'honor de la seva visita, tenint en compte que ha estat sis mesos sense fer ni una trucada ni enviar una simple postal.

He tingut bastants maldecaps, s'excusa ell, agafat desprevingut. I encara, en el seu fur intern constata que des que ha arribat la mare no li ha dit ni una paraula de la seva dona, que odia cordialment i a qui ella també correspon.

T'ho explicaré de seguida, fa ell. Tot seguit, deixa les seves coses i se'n va cap a un altre lloc.

El pare, desenfeinat, deambula per l'habitació de baix com un ànima en pena, tot triturant un paquet de cigarrets que no gosa fumar. Quan en Blériot li proposa d'anar al jardí i de treure la taula de ping-pong, veu passar per la seva cara entristida alguna cosa tan fussigera i tan irresoluble com el somriure de la Gioconda.

Comencen pilotejant, i van accelerant el ritme molt a poc a poc; després, atrapats en el joc, decideixen comptar els punts. Mentre en Blériot encara busca la seva marca, el seu pare, que deu anar passat de voltes, ja ha guanyat les dues primeres partides 21 a 10, abans d'afluixar, com és lògic, i de deixar-se guanyar les següents.

Després d'una petita pausa reparadora, es posen a jugar altra vegada com uns fanàtics, malgrat la llum declinant, i pràcticament acaben empatant: 18-17. El seu pare ha recuperat tot d'una l'estil frenètic i el joc de revés que feia estralls als torneigs locals.

Tot i que esbufega força ràpid, de tant en tant encara s'endevina en certs gestos seus que en èpoques passades va ser jove i viril, que va tenir estil, classe, i que hauria merescut una altra vida que la que li ha fet portar la seva dona.

Això li fa recordar a en Blériot que encara no ha trucat a la seva.

Li contesta des de la terrassa d'un cafè, on pren una copa amb la Sandra i en Marco, els seus companys de feina. Com que el brogit del carrer limita la conversa al mínim estricte, en Blériot està força content de poder penjar sortint-ne tan ben parat.

A taula, la seva mare, que ha preparat un àpat abundant, ja acapara la conversa, com és habitual, i a mig dinar, quan per fi acaba la lletania de les cosines hospitalitzades i de les amigues divorciades, comença amb les seves recriminacions contra els veïns, el senyor i la senyora Cailleux, sospitosos de ser uns sociòpates.

El seu pare, concentrat en l'ampolla de bordeus, es limita a assentir amb el cap i a somriure com un beneit sense criteri, mentre en Blériot, que té un interruptor personal, ha bloquejat la respiració fixant discretament la mirada en un punt del jardí, on un gran sol vermell es manté suspès sobre els arbres com a les selves del *douanier* Rousseau.

Cosa que li permet, amb una simple pressió de l'esperit, abaixar el so al mínim i convertir-se ell també en un subjecte pur, alliberat del dolor.

Perdut en la seva contemplació, no s'adona de seguida que la seva mare ha canviat de tema i que ha tornat, a cop de comentaris agredolços, al motiu de la seva visita. Perquè és d'idees fixes.

Aleshores, en Blériot es veu obligat a confessar-li, tot empassant-se la saliva, que a causa de certes circumstàncies –massa llargues d'explicar– ha vingut per demanar-los en préstec tres mil euros, reemborsables a terminis.

Si el Billy s'hagués posat a cantar al sofà, els seus pares no s'haurien quedat tan astorats. Fins el seu pare té els ulls esbatanats.

Davant el volum d'indignació que ha aixecat, en Blériot ha d'admetre que tres mil euros és massa demanar, i que si és un problema es podria conformar perfectament amb dos mil cinccents.

Serà el meu petit regal de cada any, afegeix sense vergonya.

Ja t'espavilaràs amb el teu pare, jo no m'hi fico, decideix la seva mare, que encara sembla ben trastornada i prefereix tancar-se a la seva habitació.

Així doncs, en Blériot segueix el seu pare fins al despatx i espera el xec, amb el cor encongit. El que no li pot dir és que tot això a ell també li sembla depriment i que si hagués sabut que a la seva edat es veuria obligat a demanar diners als pares hauria tingut menys pressa a créixer.

Louis, hi ha dies que m'agradaria pujar a un coet i abandonar la Terra, diu de sobte el pare tallant d'arrel els seus agraïments –li n'ha donat tres mil.

Per complaure'l, en Blériot l'acompanya a l'espècie d'amagatall amb funcions de taller que ha habilitat al soterrani. Hi ha una taula, dues cadires de càmping i un matalàs estès sobre el ciment. Aquí és on passa tardes senceres parlant amb la ràdio i construint maquetes d'avions.

En Blériot no fa cap comentari, però alguna cosa li diu que un dia baixarà d'amagatotis amb el sac de dormir i no tornarà a pujar.

A fora, gairebé s'ha fet de nit, i els arbres del jardí sembla que de cop i volta remoregin amb el vent del passat. Ja només es distingeixen les gandules a la terrassa i les pilotes de ping-pong deixades a la gespa.

T'has separat de la teva dona?, li pregunta el pare mentre tots dos beuen en la foscor amb els peus xops de rosada.

Crec que més aviat és ella qui em deixarà, quan es cansi de rescatar el meu compte.

A mi no em deixarà pas, es lamenta el pare.

De tant en tant –comencen a anar ben borratxos– els arriba del poble una música de festa difosa per uns altaveus, amb unes riallades que esclaten a tots cantons, i, cada cop que alcen el cap, la seva nostàlgia augmenta.

Ara són les onze, a Londres. Quan el telèfon es posa a sonar, a en Murphy Blomdale li calen ben bé dos segons per sortir de l'encantament i adonar-se que no és el seu mòbil, sinó el telèfon de la sala.

Hola?, bona tarda, em dic Sam Gorki, fa una veu tremolosa que no reconeix. Que podria parlar amb la Nora?

Ja no viu aquí, contesta ell secament. Aleshores es produeix un gran silenci i uns quants estossecs, com en un concert. Després la veu exhala un sospir tan llarg, tan profund que en Murphy dedueix de seguida que el seu interlocutor pertany, com ell, a la categoria dels neoromàntics.

Welcome aboard, Sam

Però l'altre ja ha penjat.

Quina llàstima, perquè haurien pogut fundar una associació, posar un plet i reclamar danys i perjudicis simbòlics. Cosa que precisament li fa recordar la petita capsa blava amagada al despatx i els cinc mil dòlars que va canviar dimecres.

Troba la capsa al seu lloc i li sembla d'una lleugeresa anormal, com si a dins només hi quedés una mica de cendra o de pols. En realitat, ella li ha deixat generosament dos bitllets de vint perquè begui a la seva salut.

Almenys aquest cop el missatge és clar, pensa mentre se serveix una copa de brandi a la cuina.

Un minut més tard, enmig de la massacre de les seves esperances terrenals, se'n serveix una segona, abans de trucar altra vegada a la Nora. Així, per no penedir-se de res, amb els batecs del cor en sintonia amb els del timbre fins que senti el missatge.

Ja no contestarà.

El que fa créixer la seva estupefacció és la idea que aquest nom (Nora), amb la cara i el cos que l'embolcallen, se li fixarà en un indret ben precís de les cèl·lules de la memòria, i que el més probable és que s'oblidi d'ell mateix abans que del nom.

Tot el que es pot esperar, ell ho haurà esperat, tot el que es pot perdre, ell ho haurà perdut.

I ell també, mirant la nit sobre Londres, sent que la seva nostàlgia augmenta.

5

Un matí es desperta al costat de la seva dona. Com que ella dorm de cara a la paret, només li veu la massa dels cabells rossos que li arriben fins per sota les espatlles. La camisa de dormir li deixa al descobert les cuixes fornides, la pell blanca de les cames. Res més. Abans, fins i tot als seus somnis més ardents la seva dona se li apareixia sempre vestida. És una patologia que deu tenir un nom.

Amb la cara adolorida per la neuràlgia matinal, en Blériot es dirigeix cap a la cuina a les palpentes per preparar-se una tassa de cafè i prendre's dues aspirines, mentre omple la banyera. Sobre la pica del lavabo, el mirall li retorna la imatge d'un home esgotat: fa ulleres i els ossos se li marquen a la pell.

L'aigua de la banyera és tan calenta que el vapor es manté arran de l'aigua com un banc de boira, i ell es queda flotant amb les cames estirades mentre reflexiona sobre la conducta incomprensible de la Nora des que ha tornat.

Cal tenir en compte que ja li ha deixat una desena de missatges i que ella encara no li ha donat senyals de vida.

Li contestarà? O no ho farà?

En Blériot, ara mateix –obre l'aixeta de l'aigua freda amb la punta del dit gros del peu–, estaria disposat a apostar que no li contestarà i que ho perdrà tot. Però demà, a causa de la seva faceta pendular, pensarà exactament el contrari.

Un cop s'ha afaitat, es posa una camisa blanca amb coll d'aletes per sobre els texans i, tot i la calor anunciada, es nua una petita corbata de cuir negre, amb aquell perfeccionisme i aquella elegància una mica obsessiva propis dels qui es passen la vida esperant algú.

Per distreure's del pensament de la Nora, s'ha posat a espiar la veïna de sota, al pati, una russa octogenària que fa anys que no surt del pis –s'imagina perquè sí una olor de cretona polsegosa i de gat incontinent– perquè sembla que ha decidit mirar la televisió fins que es mori.

Quan la veu menjar-se les llesques de pa, de vegades en Blériot se sorprèn envejant-la de no esperar ja ningú.

Tot seguit, mentre espera que la seva dona es desperti, vagareja d'habitació en habitació, com un ectoplasma en suspensió, obrint un per un els porticons, observant la lluminositat del cel.

Viuen a l'últim pis d'un edifici vell, a les altures de Belleville, on certs dies de tardor els núvols van i vénen com en un hotel.

Encara que el pis és intrínsecament lleig i incòmode, té l'avantatge de ser gran i d'estar disposat en dos nivells que es comuniquen per una escaleta de cargol, cosa que en principi evita que es facin nosa l'un a l'altre.

A més, han establert un sistema d'ocupació alternada de les parts comunes, de manera que quan l'un escolta música, per exemple, l'altre es pot dedicar tranquil·lament a les seves ocupacions al pis de sota.

No és estrany al capdavall, sobretot quan l'ambient està carregat, que un dels dos prefereixi quedar-se al seu pis i mirar la televisió pel seu compte, en comptes d'haver de suportar els comentaris de l'altre.

Per tant, la seva dona i ell en general són al mateix espai, viuen en la mateixa temporalitat, ara dormint junts –a l'habitació de la Sabine–, ara cadascú al seu pis, i malgrat tot sembla que visquin en dos mons diferents, infinitament allunyats.

L'escala, la dimensió de les habitacions, l'absència de mobles contribueixen probablement a aquest sentiment de buit que els embolcalla a tots dos, inclús quan estan junts.

Fins al punt que, a les tardes, en Blériot se sorprèn cada vegada més sovint preguntant-se com un nen si no és que està sol al pis.

Ja t'has llevat?, s'estranya la seva dona, que apareix vestida amb el barnús i una tovallola lligada al voltant del cap.

Des de la seva oftàlmia, gairebé sempre porta uns vidres foscos que aquest matí li donen l'aparença d'una cega exposada a la cobdícia del marit. Fins que ell li fa un petó i sent tot d'una les seves galtes fredes, la seva presència física vacil·lant.

T'ha anat bé, el viatge?, li diu ella amb una veu tensa que l'amoïna una mica.

Potser n'està al corrent, pensa ell abans de dominar-se i d'improvisar quatre paraules sobre la neurastènia del seu pare.

Encara em queden unes quantes pàgines per acabar, afegeix, i la deixa allà plantada per anar al seu despatx, una habitació de sis metres per cinc del pis de dalt on, quan no està gaire preocupat per la feina, almenys pot reflexionar amb calma, tranquil·litat.

Per ofegar la seva angoixa i aplaçar fins més tard l'examen de consciència, s'afanya a tancar la porta i a engegar l'ordinador.

En Blériot, que sempre s'ha mantingut al marge de tot projecte de fer carrera (així com de tot desig de ser reconegut socialment), es va posar a fer de traductor per lliure fa tres o quatre anys –tradueix de l'anglès–, en comptes de continuar sent espremut per laboratoris privats que li pagaven quatre duros.

Encara que, des que treballa sol, es veu obligat a acceptar gairebé qualsevol cosa per tirar endavant el seu petit negoci, i tradueix tant articles científics i prospectes de medicaments com instruccions d'electrodomèstics.

Els dies que està de sort, fa algunes feines puntuals per a congressos mèdics, però la majoria del temps es queda a casa i es conforma amb el que li ofereixen.

I quan no li ofereixen res, en general no li queda altre remei que recórrer a la generositat del seu entorn.

Aquesta mena de subterfugi explica en part l'evident dèficit d'imatge que pateix davant la seva dona i els seus pares.

Per la finestra –perquè des d'aquest matí cada dos per tres treu el cap per la finestra com si la Nora l'esperés fora–, observa al carrer un senyor amb americana, amb un aire d'home de negocis xinès, que porta el fill adormit a l'esquena, mentre la seva dona camina a passes ràpides al seu costat en plena calor i ruixa tot sovint la cara del nen amb l'aigua d'una petita cantimplora rosa.

En Blériot, inclinat cap endavant per veure millor l'escena, no els treu els ulls de sobre fins que no tomben a la cantonada del carrer de Belleville i deixen darrere d'ells com un solc de felicitat irrecuperable.

Ell era el fill? Ell era el pare que portava el fill cap a una altra vida?

Tot pensatiu, ben a poc a poc torna a seure davant la pantalla.

Com que el balanç d'activitat d'aquests últims dies és gairebé nul, s'escarrassa durant una part de la tarda a traduir l'article d'una revista mèdica dedicat al tractament de la infibulació a l'Àfrica, abans de tirar la tovallola i anar a buscar una ampolla de cervesa a la cuina.

Quan puja les escales, sent la seva dona cantussejar al saló una melodia de la Nancy Sinatra i s'atura en sec per escoltar-la. No sabia que li agradés la Nancy Sinatra.

You shot me down, bang bang. I hit the ground, bang bang, cantusseja ella amb una veu que no li ha sentit mai, una veu de

35

noia molt jove, que li fa venir un calfred com si tingués la revelació de la seva bellesa amb uns anys de retard.

Quan la cançó s'acaba, tot rastre de tristesa o d'amargura li ha desaparegut de l'esperit. Sembla que el procés de degradació de la seva parella s'ha estroncat com per art de màgia. No cal tocar res més.

Continua, doncs, pujant l'escala, sense fer soroll, i empeny la porta del dormitori.

Tot bevent-se la cervesa a glopets, abaixa les persianes perquè té les idees més clares en la foscor, i s'estira al sofà, al fons de l'habitació.

Ara està tranquil. Tot va bé.

Està ajagut de costat, amb els ulls mig tancats, com una bèstia que panteixa en la calma vespertina.

Tot va bé, es repeteix. En la penombra del crepuscle –s'ha arraulit amb els genolls tocant-li el pit– les persianes gairebé semblen blanques.

6

En Blériot no sap quan es van començar a allunyar l'un de l'altre. El dia que se'n va adonar, ja estava fet.

A partir d'aquell moment, no ha pogut sinó constatar, sense aconseguir aturar-ho, l'enverinament progressiu de tota la seva vida en comú. Ha vist la seva relació deteriorar-se dia a dia i no ha fet res, no ha trobat cap altra cosa per suportar-ho que aquesta lamentable acceptació de l'estat de les coses.

Quan passa revista a la velocitat de la llum dels seus primers anys de matrimoni, es diu que bé deuen haver tingut moments de felicitat, com tothom, però ja no se'n recorda.

Amb prou feines recorda com es van conèixer, una nit, a casa d'uns amics que vivien als afores.

A causa de la fal·libilitat de la seva memòria i del seu feble radi d'acció –es van conèixer fa nou anys–, ja no recorda gens ni mica la manera com van començar a parlar, ni què es van dir. Té la impressió que la va escoltar parlar tota la nit.

En aquella època ell era al fons del pou, estava sense feina i vivia de les ajudes del seu pare quan no tenia la sort de ser alimentat i allotjat per una amable estudiant americana o noruega. Perquè, tot i que mai va formar part de l'avantguarda sexual de la seva generació, en Blériot tampoc no era un principiant quan es van conèixer.

Però la Sabine pertanyia a un món molt diferent.

Era més gran que ell, divorciada, coneixia un munt de gent, era elegant, físicament atractiva, intel·lectualment estimulant. Havia fet una tesi sobre la Bauhaus abans de fer-se càrrec de col·leccions d'art contemporani en diverses fundacions. Aparentment, sabia el que volia.

Era del tot oposada a ell.

D'altra banda, va ser ella qui el va voler, qui li va donar l'adreça i el número de mòbil al final d'aquella festa, qui el va animar a no dubtar a trucar-li, i ell qui es va fer desitjar un bon parell de setmanes abans de marcar el seu número.

Per què la va tornar a veure? Probablement perquè ella el volia tornar a veure.

En tot cas, no es tractava tant d'amor o de desig, sinó d'un sentiment estrany de vertigen i de submissió.

I a més, ella l'impressionava, havia conegut en John Cage i en Merce Cunningham i li encantava la literatura alemanya, amb una predilecció per Elias Canetti. Gairebé es pot dir que va sortir amb ella per saber en què consistia el geni d'Elias Canetti sense haver d'esforçar-se a llegir-lo.

El que és segur és que passada la sorpresa de descobrir en aquella dona jove i cerebral, una mica afectada, un temperament sensual que no s'esperava, tot va anar molt ràpid, probablement massa ràpid.

Ella el va esposar i ell la va esposar —no sense restriccions mentals per part seva–, i de seguida van anar a viure un any a Irlanda, on ella feia peritatges per a una fundació privada i ell es guanyava la vida a les escoles dels voltants.

I allà els va passar el que passa a tots aquells amants ansiosos que s'entaforen al primer hotel que troben i es queden tancats dins l'ascensor. Uns anys més tard, encara hi estan atrapats i han esgotat tots els temes de conversa.

Malgrat tot, les llargues converses, les nits que passen junts, les passejades en parella durant els primers mesos permeten normalment que cadascú intueixi la part de felicitat o de desgràcia que l'altre li donarà. I en Blériot no va trigar gaire a endevinar que la part de desgràcia seria la que més pes tindria de les dues.

Però va fingir. Per falta de seguretat, per immaduresa.

Si ara examinem les coses amb les ulleres de l'objectivitat, ell era sens dubte el més incapaç dels dos, per tant d'alguna manera també era el més culpable.

Allò que la majoria d'homes busquen tota la vida, la intelligència, la tendresa, la comprensió, la indulgència, ella l'hi oferia en safata, i semblava com si ell no sabés què fer-ne.

Després va ser massa tard.

El disc del temps sempre repeteix la mateixa seqüència. La Sabine es queda embarassada al mes d'abril, té quaranta-dos anys, es nega a creure-s'ho, i de seguida la qüestió és terriblement simple: ell vol amb totes les seves forces tenir aquest fill i amb totes les seves forces ella no el vol. Perquè ja no té confiança en ell.

Es recorda de la mirada que ella li llança en certs moments, sense parpellejar ni desviar els ulls, com si de cop i volta tingués un do de vident i sabés alguna cosa de tots dos que no té dret a revelar-li.

D'ella, no en sap res.

Odia les confidències tant com els records. No sap ni tan sols com és el seu primer marit, ni què li retreu exactament. Quant a la seva família, a la seva germana i als seus dos germans una mica estranys, guarda el mateix silenci, la mateixa distància defensiva, com una mena de dispositiu de seguretat infranquejable.

Per molt que en Blériot està íntimament convençut que ella es nega a tenir un fill per motius relacionats amb la seva infància, no li aconsegueix treure ni una paraula. Perquè això l'afecta a ella i no pas a ell, li diu ella.

Per escapar d'aquesta relació claustrofòbica, surt gairebé cada nit a fer volts pel barri. Camina com qui resa.

Camina mentre ella dorm al seu llit, amb la sensació d'anar d'una sala a l'altra en el seu somni, fins a l'habitació secreta on batega el cor del fill.

Quan torna, es desmaia de cansament. Ja sap que ha perdut. Després de dies i dies d'argúcies i de debats inútils, li deixa fer el que vol.

Quan torna de la clínica, es fica al llit i deixa de parlar amb ell.

A partir d'aquí, la vida en comú es torna irrespirable. De dia, s'eviten, i de nit, descansen al llit com dos blocs de solitud separats per una incomprensió infinita.

Es podrien separar, però continuen vivint junts, segurament perquè en la seva confusió emocional necessiten ordre –encara que cada un d'ells té el seu propi ordre– i no hi ha res que temin més que veure la seva vida lliurada al caos i la dispersió.

Avui, el compromís encara es manté.

Les parelles –en tot cas, la seva– sovint recorden organitzacions incoherents, quan en realitat són una aliança d'interessos ben entesos.

En virtut d'això, ens podem tornar cada cop més indiferents i cada cop més inseparables.

De vegades, quan tot això li ve al cap i li recorre la cadena molecular de les seves desil·lusions i les seves tristeses, en Blériot no sap què l'angoixa més: si haver de deixar un dia la seva dona o envellir amb ella.

En tot cas, aquest vespre, per primera vegada des de fa temps, se sent tranquil, sense por, sense il·lusió.

Canta tot sol: *You shot me down, bang bang,* mentre es beu la cervesa a la finestra. El veí de davant, un noi negre immens, ha tret el cap per la llucana de la teulada com Alícia al país de les meravelles i respira l'aire de la nit.

Tot va bé, es repeteix ell un cop més.

7

Ha provat almenys unes deu vegades de posar-se en contacte per telèfon amb la Dorothée; tot seguit, sense saber per quina misteriosa operació, el nom de Vicky Laumett li ha tornat a la memòria mentre endreçava els blocs de notes.

En Murphy ha sentit en aquest instant que disposava d'una de les poques pistes explotables que el podien dur fins a la Nora.

Elles dues s'havien tractat a l'institut de Coventry, s'havien retrobat a Londres, havien tingut uns quants amics comuns i, segons les seves informacions, encara estaven en contacte al mes de març.

Per la seva banda, ell la recorda com una bonica noia mestissa, més aviat petita, que deu haver vist dues o tres vegades, sempre acompanyada d'homes molt alts que semblaven atrets pel seu centre de gravetat excepcionalment baix.

La Nora li va dir que s'havia casat l'hivern passat amb un tal David Miller, periodista d'un setmanari financer. Per tant, el seu número ha de ser necessàriament en algun lloc.

Sóc en Murphy Blomdale, l'amic de la Nora, es presenta ell, abans d'explicar-li, mort de vergonya, la penosa situació per la qual es permet trucar-li a aquesta hora.

Després d'un silenci desconcertant —sembla que ella ho ignorava tot de la marxa de la Nora—, l'avisa de seguida que no ha tornat a veure la Nora des de fa mesos i que no sap res dels motius de la seva desaparició. Ara bé, si creu que necessita parlar-li —cosa que és perfectament capaç d'entendre— li assegura que es troba a la seva plena disposició.

En David no torna a casa abans de les deu o les onze, li diu ella, així que pot passar quan vulgui.

Tan bon punt s'ha dutxat i posat una camisa neta, ja és al carrer buscant un taxi.

Quan veu els llums i la gentada a Upper Street, després dels dies d'aïllament, en Murphy té una lleugera sensació de vertigen i d'angoixa que l'obliga a intentar tranquil·litzar-se.

Per acabar-ho d'adobar, un crepuscle transparent, gairebé afrodisíac, ha caigut sobre Londres: les terrasses estan atapeïdes, les noies criden d'excitació i les parelles es besen tant com poden mentre ell, amagat darrere unes ulleres blaves, sent alguna cosa dolça en l'atmosfera que li esquinça les carns.

Encara que no ho sembli, en Murphy Blomdale va ser en una altra època –quan encara vivia als Estats Units– un estudiant voltat d'estudiantes, però curiosament no té cap nostàlgia d'aquells anys.

Totes aquelles bostonianes menudes, rosses i sentimentals, que desfilaven per la seva habitació com personatges a la recerca d'un autor, tots aquells amors desvergonyits, aquelles aventures mediocres, aquelles petites coses de la vida, tot allò, després de la Nora, li sembla increïblement llunyà i irrisori.

En baixar del taxi nota que l'aire és cada vegada més asfixiant i que s'ha posat a suar.

El pis on viuen la Vicky i el seu marit dóna a una placeta deserta, envoltada d'hotels, a dues passes de l'estació d'Earl's Court.

Conscient que ja no pot desfer el camí, en Murphy s'està un moment davant el vidre de l'aparador de l'edifici, on veu la seva silueta una mica encorbada, els ulls inflats d'insomni, els cabells aixafats cap enrere i el posat sinistre i elegant com un vidu.

Pitja el timbre i es presenta. És al quart primera, contesta una veu a l'intèrfon.

La porta és oberta. La Vicky Laumett, vestida tota de blanc, va i ve pel passadís mentre parla per telèfon. Ell es queda, doncs, sota el llindar de la porta, provant d'esbrinar el que més el sorprèn, si la seva alçada –sembla que hagi crescut deu centímetres– o la mirada aguda que li llança fent-li senyals perquè entri.

Dos passadissos més lluny, veu darrere d'ella un interior lluminós i fred, del mateix estil que els pisos de mostra, amb unes escultures de metall i unes màscares africanes penjades a la paret.

En Murphy Blomdale seria incapaç de dir ara mateix si això és de bon gust o de mal gust, primer perquè està massa ansiós o massa distret amb la presència de la propietària de la casa per preocupar-se'n, i segon perquè els objectes en general l'avorreixen.

No m'he adonat de l'hora que era, s'excusa ella agafant-li la mà per dur-lo cap al menjador.

Quan estan asseguts l'un davant l'altre, tot d'una se sent deprimit, en una mena de nuesa emocional que l'avergonyeix com si s'anés a posar a plorar. Ja es penedeix d'haver vingut.

A més, sense saber per què –potser per l'aspecte del seu pis–, sospita que és una dona jove materialista i no especialment compassiva.

Per això, per amagar el seu estat d'abatiment, mira de no parlar-li de seguida de la Nora, i primer s'interessa per ella, pel que fa –ha après els estudis i està acabant un màster de dret–, els seus projectes, els seus amics, el seu marit.

Com que ella és força expansiva, la cosa no és gaire complicada i xerren així una bona estona. Ella, encantada de parlar-li, i ell, reconfortat de descobrir en aquesta noia, que a penes coneixia, una amabilitat, una gràcia, i alhora una vitalitat tranquil·la, que el distreuen feliçment de les persones que freqüenta a Londres.

A estones, en el seu abandonament, fins i tot es pregunta si no és massa amable amb ell, massa encantadora, fins al punt d'emetre de tant en tant senyals intencionadament ambigus.

Com ara aquest braç que es passa per darrere el cap, en un gest que sembla pensat més per realçar els seus pits joves que no pas per estirar-se.

És per això que, embadalit amb les seves paraules, en Murphy s'acaba persuadint que segurament és menys serena i madura del que vol fer creure i que ben al fons d'ella mateixa s'hi amaga una mena de desig confús, d'excitació puberal que deu haver persistit sota el seus aires d'adulta.

Encara no hem parlat de la Nora, assenyala ella tot d'un plegat mentre porta una ampolla de vi italià, perquè li deu haver endevinat en la confusió una transferència de sentiments que normalment no li van destinats i considera sa tornar a centrar el debat.

Sí, és veritat, admet ell mentre es ruboritza a destemps pels seus mals pensaments.

En Murphy se centra, doncs, en el motiu principal de la seva visita i li explica amb detall totes les investigacions que ha dut a terme per descobrir els motius de la marxa de la Nora –ja que no li ha donat cap explicació–, les trucades que ha fet a uns i altres per reconstruir-ne l'agenda, el disc dur que ha examinat, sense trobar-hi res, com si n'hagués esborrat qualsevol rastre amb molta cura.

Ara estic convençut, li diu ell, que ho havia organitzat tot, planificat tot des de feia temps.

Com que encara té algun escrúpol, li evita parlar dels cinc mil dòlars que li ha robat abans de marxar.

En la planificació, no hi crec gaire, li diu ella fluixet mentre omple les copes.

No hi crec perquè conec la Nora i sé que és massa impulsiva per premeditar una ruptura.

Quant al fet, continua ella, que no li hagi donat cap explicació, és la seva manera habitual de procedir amb els homes, no és gens dialogant. La Nora és algú que considera que no hi ha res a explicar, ni per què ens estimem, ni per què ens separem.

En realitat, la Nora no ha sigut mai una noia gaire fàcil d'entendre, li recorda ella, i aleshores s'atura un moment per fer un salt enrere.

De fet, a l'institut ja se la considerava un fenomen curiós, a causa dels seus pírcings i els cabells oxigenats. Era la mena d'adolescent esquerpa, acomplexada, una mica rabassuda, que va per la vida amb les urpes afilades i que ningú, insisteix ella, però realment ningú, no tenia ganes de tenir com a amiga. Ja es veu què vol dir.

Ella devia ser més o menys l'única que havia intuït fins a quin punt un dia seria bonica i que l'envoltaria un cor de lloances.

I, en tornar de les vacances d'estiu, quan es va produir l'esdeveniment i tothom es va posar a mirar-la embadalit, els seus problemes no van fer sinó augmentar.

En concret, recorda una escena a la classe de gimnàstica, una tarda, quan la Nora encara es trobava en un període de transició, per tant no gaire segura d'ella mateixa, i uns nois d'un metre noranta van aprofitar per raptar-la, portar-la al vestuari i tocar-li ara una cama, ara un pit.

Era indignant, diu ella, semblava que tots en volien un tros.

La Vicky Laumett, que comenta les imatges amb una veu en off, reconeix que ella també es va sentir atreta per la Nora a partir d'aquella època perquè s'havia mantingut pura i salvatge, i totes dues odiaven aquelles parelles que es petonegen per tots els racons de l'institut.

A elles, els agradaven els actors americans o els poetes romàntics, sobretot en Percy Shelley.

Vol una mica més de vi?, li pregunta.

En Murphy, que l'escolta en una mena de calma esbalaïda, catalèptica, li fa senyal de continuar.

Li agrada la seva veu uniforme, lleugerament relaxant, mentre li explica tots aquells anys durant els quals ell no existia.

La Nora –i això potser ho explica tot–, diu ella, és la segona filla d'una família desestructurada, amb una mare depressiva, que desapareixia de tant en tant a la naturalesa, i un pare jugador i endeutat fins al coll, treballador de l'ajuntament de Coventry. Ja no recorda què feia exactament; en tot cas, una nit de Nadal, ell va fugir enduent-se la caixa del casal d'avis, i va enfonsar tota la família en la vergonya i la penúria.

Més o menys al cap d'un any, la Nora va aprofitar el marasme familiar per emancipar-se tota sola i ajuntar-se amb un grup de músics, que se suposa que l'havien d'iniciar en el funk i l'anarquia.

A partir d'aquell moment, deixa de rebre'n notícies. Fins que la seva germana, la Dorothée, li anuncia que la Nora ha trobat el seu gran amor a París sota l'aparença de l'Spencer Dill, i que no ha sigut mai tan feliç. En parlava realment com d'una redempció, recorda ella.

Però tot i així, el primer cop que es van retrobar a Londres, l'any següent, i que van discutir d'un munt de coses, entre d'altres, de nois, la va notar força desil·lusionada, una mica com una princesa que ja no creu en la màgia.

No parava d'acusar-se de ser freda, egoista i destructiva i, francament, ella se'n va compadir.

No diu: després va venir vostè. En Murphy tampoc diu res.

Es pregunta si pot suggerir-li que intercedeixi en favor seu davant la Nora o si és preferible esperar que ella l'hi proposi. Suposant, per descomptat, que en tingui ganes.

Immers en aquesta perplexitat de l'esperit, es torna a servir vi i mira la tempesta per la finestra. Veu uns quants llamps blancs que es ramifiquen al fons del cel i gent corrent cap als seus cotxes.

Vostè creu que si ella és a París podria fer alguna cosa per mi?, li diu ell girant-se cap a ella.

No ho sé, contesta amb una petita ganyota de dubte, que ell interpreta com una negativa. Entén que val més no insistir i marxar dignament. De totes maneres, aviat arribarà el seu marit.

A fora, al voltant d'Earl's Court, s'ha imposat la calma del buit després de la pluja, la gent ha tornat a casa seva, les botigues pakistaneses han abaixat les persianes, els gossos comencen a furgar les escombraries.

Aixoplugat a l'entrada d'un local, en Murphy espera un taxi tot fumant, penetrat per la desolació del món, en ell i fora d'ell.

8

Des de fa una estona, totes dues estan assegudes en un banc de l'estació, esperant el tren de Torquay. La Nora li fa escoltar la música de REM als auriculars, el sol es lleva, ella prem la seva cama contra la de la Nora i és el principi de l'estiu.

Tenen disset anys, s'han convertit en un binomi simbiòtic que es veu a totes les platges. Quan no són a les platges, viuen a casa els avis de la Nora.

Mentre el seu marit està adormit al seu costat, la Vicky Laumett té, tranquil·lament, una visió de l'estació, dels cartells d'aquella època, del moll ventós, dels llorers blancs, de l'oceà verd a la llunyania, dels viatgers que passen i tornen a passar per davant seu garratibats per la humitat de l'aire, de l'home que escriu postals al banc de davant.

Tot seguit, amb la mateixa deliberació, veu la cara de la Nora al costat de la seva, amb els cabells estarrufats, la pell pàl·lida, una mica tísica, els ulls marrons, les pigues, els llavis, assecats per l'aire marí, que sempre té ganes de besar.

Aquest estiu, la Nora s'ha convertit en més que una obsessió.

El tren no arriba. Han fugit a les set del matí per anar-se a trobar amb un tal Aaron Wilson o Milson, que ella no coneix personalment, però amb qui la Nora li ha inflat el cap –és monitor de windsurf, toca la guitarra acústica i, segons ella, deu tenir com a mínim vint-i-dos o vint-i-tres anys–, de manera que ara es debat entre la curiositat de veure'l i la por de ser abandonada per la Nora i haver de tornar sola aquesta nit.

Al fons d'ella mateixa, preferiria que el tren no arribés mai.

Si, a escala geològica, tots els instants d'una vida acabessin formant un únic instant que resumeix tots els altres, a la Vicky li agradaria que fos aquell, aquell en què escolten cap contra cap la música de REM a l'andana d'una estació, a l'estiu, quan les portes de la vida són encara obertes de bat a bat.

Després, en baixar del tren –han desaparegut parts senceres del matí–, prenen la direcció del port i recorren juntes els carrers de Torquay, vorejats de pensions antiquades com a la sèrie de televisió on surt en John Cleese. Flota en l'aire un lleuger perfum de marea, unes bandades de núvols argentats llisquen pel cel.

Pel camí, s'aturen a la terrassa d'un hotel per mirar el paisatge de la platja i esperar l'aparició del famós Aaron, però sense gaire impaciència, perquè tampoc no és l'arcàngel sant Gabriel –en això estan d'acord.

En aquest instant, algú a la llunyania, aparentment situat cap a la dreta, crida el nom de Nora i totes dues giren el cap al mateix temps.

Més avall, veuen un noi alt moreno que travessa la platja cap a elles, sostenint la seva planxa damunt seu. És l'Aaron, diu la verdadera Nora, que fa visera amb la mà.

Se'l miren encara una estona, recolzades a la balustrada, sense fer-li senyals, amb les cares ben paral·leles exposades al sol. Tenen tot el temps del món. Sembla que la sola presència de la Nora al seu costat sigui suficient per provocar una dilatació del moment.

A primer cop d'ull, quan se'l troben pel carrer, l'Aaron li sembla massa gran, massa somrient, massa segur d'ell mateix, potser perquè ella, en canvi, se sent vulnerable i no sap quin posat adoptar quan ell comença a besar la Nora. Per no fer-la posar gelosa, la besa a ella també –aparentment és un besador nat–, i li fa tot de compliments pels texans amb lluentons que porta i les vambes blanques.

Compliments que ella rep amb una àmplia demostració de

la fredor més perfecta, mentre la Nora se la mira maliciosament com si ja tingués el seu pla propi.

Un cop s'ha desempallegat del seu material, les porta a dinar a un fast food situat a dalt del carrer principal, al costat d'una oficina de correus de vidres ataronjats.

Quan no besa la Nora i es recorda de la seva presència –tanmateix està assegut davant d'ella–, l'Aaron li fa un munt de preguntes com si li fes una prova de nivell, sobre els seus gustos musicals o sobre els seus programes preferits de la televisió –a ell, li encanta una sèrie que transcorre en un submarí alemany–, mentre li roba unes quantes patates fregides.

Per molt que provi de perfeccionar el seu aire enfadat i de contestar amb monosíl·labs, en realitat el troba més aviat divertit, amb alguna cosa infantil i emotiva que la tranquil·litza.

Tot seguit, baixen cap al mar, en una mena d'ensopiment assolellat, una mica intemporal, sense acabar de decidir si aniran a descansar a la platja o a una terrassa de cafè, com si la incertesa del seu desig –la Nora camina entre tots dos– els enfonsés en un estat semiletàrgic.

Però les vores del mar tenen aquest avantatge, descobreix ella: que s'hi pot continuar caminant indefinidament sense haver de prendre mai cap decisió. És així com van a parar a quilòmetres d'allà, i acaben asseguts a les cadires del bar d'una bolera plena de fum.

Hi ha una interrupció.

M'agradaria, li diu el seu marit amb una veu desesperada, poder dormir sense que el llum de la teva tauleta de nit m'enlluernés. Seria possible? Ella l'apaga.

Si ell sabés!, es diverteix ella tornant de seguida a Torquay.

Ara la tarda gairebé ha marxat. Han tornat al passeig marítim per menjar un gelat i passejar junts per la platja, amb els ulls mig aclucats per la reverberació del sol. L'Aaron els descriu l'allotjament on s'està a casa dels seus cosins i els explica que té coses, segons ell, d'apartament soviètic i d'alberg, equipat amb cuina comuna i lavabos col·lectius.

A les set en punt, t'has d'afanyar a agafar el teu torn a la cua del lavabo, els explica, sinó, aguanta't. El dipòsit d'aigua calenta tarda tres hores a tornar-se a engegar.

En aquell moment, no es pregunta per quin motiu els explica tot allò. Al contrari, se l'escolta distreta mentre camina perquè en tot moment té a la vora de la consciència l'ombra mòbil de la Nora, amb el seu perfil retallat sobre l'aigua.

A l'altre costat del port, en un punt elevat, distingeix una casa en venda, tota feta de vidrieres, amb el nom d'una agència i un número de telèfon que acaba en 2013. I sense saber per què, de cop i volta està convençuda que recordarà aquest número 2013 que veu pampalluguejar al sol. Com si fos una data, una mena d'avís o de conjura per al futur.

Vicky, he de parlar amb tu, li diu justament la Nora aprofitant un moment en què totes dues estan soles.

Saps que no he tingut mai secrets per a tu. Ho saps?, repeteix ella. Bé, i sé que tu no ho diràs a ningú, continua abans de confiar-li en veu baixa, com si fos urgentíssim, que està enamorada de l'Aaron i que té moltes ganes de fer-hi l'amor.

Ara?, contesta amb innocència, ben sorpresa.

A anys de distància, la Vicky Laumett torna a veure tota l'escena com des d'un helicòpter: la llum declinant, l'horitzó, el blanc de les onades, els nens ajupits a la sorra, i elles dues, ben jovenetes, que parlen tremoloses com unes actrius principiants.

Ella que li diu que no es vol quedar sola, i la Nora que li diu que de cap manera i que se l'estima almenys tant com a l'Aaron.

No vull que te'n vagis, insisteix la Nora, i li acaricia el clot de la mà amb el dit. Confies en mi?

Per descomptat, diu ella enredant els seus cabells amb els de la Nora i buscant discretament el gust iodat dels seus llavis mentre una onada de plaer la traspassa de banda a banda.

Després, ja no té temps de reflexionar, ni d'amoïnar-se pel que li passarà, perquè l'Aaron ja ha tornat amb una llauna de cervesa a la mà, i els anuncia que aquest vespre els seus cosins no hi seran –han de marxar pels volts de les nou o les deu– i que per tant poden dormir a la seva habitació.

Només hi ha un llit gran i dues cadires, els avisa mentre es beu la cervesa i intercanvia amb la Nora una mirada carregada de secrets.

És just en aquest precís instant quan ella té la impressió d'entendre on volen anar a parar.

A mi m'està la mar de bé, respon de seguida la Nora, que forma part del trenta-cinc per cent de joves angleses menors de divuit anys sexualment actives. Mentre que ella, al seu costat, exhibeix els pits d'una nena de tretze anys i l'experiència corresponent.

Però tot el que se li acut dir-los és que abans potser caldria trucar als avis de la Nora per demanar-los permís.

Cosa que fa riure a la néta. No vols trucar també als teus pares?

Per por de fer el ridícul, no s'atreveix a parlar més.

Però de totes maneres ja sap que està segrestada i que probablement es deixarà fer. Perquè té massa por que la Nora la deixi allà plantada i que per culpa d'això tot s'acabi entre elles.

Bé, què fem ara?, li pregunta l'Aaron. Véns amb nosaltres o no?

Què hi pot contestar, a això? Evidentment els segueix, perquè no té cap altra opció.

Des de dalt del seu helicòpter, es veu avançant darrere d'ells, tota pàl·lida i virginal, mentre la Nora i l'Aaron caminen amb els peus a l'aigua, abraçats, com si tot d'una haguessin oblidat la seva presència.

Al seu voltant, ja no hi queda gairebé ningú, el vent s'ha aixecat i la gent ha abandonat la platja. A la llunyania, el sol s'enfonsa centellejant al mar i ella veu una petita embarcació motoritzada que fa de llançadora entre enlloc i enlloc, en una soledat i una tranquil·litat tan grans, que de sobte li vénen ganes de plorar.

Per evitar fer un numeret, es posa a córrer per la platja fent molinets amb els dos braços i obrint la boca ben gran per aspirar la brisa del mar.

Un cop ha desaparegut el sol, la platja es converteix tot d'una en un paisatge gris i solitari, cobert de deixalles portades per la marea. I com que cada vegada fa més fresca, acaben girant cua.

Caminen junts cap al port, tots tres callats com si juguessin al rei del silenci, mentre un gos embogit persegueix un estol de gavines.

Quan hi anirem?, pregunta ella, tremolant com si tingués pressa perquè acabi com abans millor.

Encara no són ben bé les deu, i ja no saben què fer. A causa de la marea ascendent, la foscor vista des de dalt té alguna cosa de translúcida tot al llarg del moll.

Després vagaregen pels carrers, esperant el moment en què podran prendre possessió de l'habitació i dormir junts.

O, més aviat, és el moment, qui els espera.

9

La llum matinal comença a escalfar els vidres del menjador quan en Léonard Tannenbaum, embolicat amb la bata de cotonada porpra, arrossega amb un aire olímpic un petit aspirador cilíndric de marca Rowenta pel parquet.

Sense deixar d'enraonar amb el seu visitant, aspira delicadament la pols dels cactus, abans de netejar-ne les fulles amb un cotó amarat d'aigua desmineralitzada. Cada vegada que s'inclina sobre les plantes –igual que Gulliver vinclat sobre els jardins–, la bata deixa entreveure unes llargues cames primes i sedentàries, de les quals sorprèn que hagin pogut sostenir en un altre temps un cos imponent, esculpit per anys de parapent i de rem.

La malaltia li ha amagrit els panxells, demacrat la silueta, enfonsat els ulls blaus.

Aquest matí, vaig de bòlit i qualsevol fotesa em cansa, diu ell passant les cortines per ofegar la calor.

Aleshores, l'un darrere l'altre passen a l'habitació gran, amb desenes d'estatuetes xineses disposades en prestatges, que l'amo de la casa neteja amb cura mentre reprèn el seu relat sobre la manifestació de turcs marxistes leninistes que es va trobar ahir a la tarda a la plaça de la República, i sobre la impressió sinistra que li van fer aquelles banderes roges, estampades amb la falç i el martell.

El seu visitant, que n'ha vist d'altres, es limita a assentir amb el cap mentre mira per la finestra les reixes de les Buttes-Chaumont, primer perquè no suporta més que ell les multituds excitades, i després perquè ja coneix el seu discurs sobre la manipulació de les emocions col·lectives i els malsons que en deriven.

De totes maneres, en Léonard abomina la Història (prefereix l'eternitat) i té sempre la maleta a punt, per si les coses van mal dades.

Mentrestant, equipat amb un parell de guants llargs de cautxú transparent, es dedica a netejar les taques resistents del seu sofà amb un producte tensioactiu, i continua dissertant en veu alta sobre el ressentiment de les multituds.

Síndrome de soledat o deformació professional –és titular d'una càtedra de neurologia–, amb els anys en Léonard s'ha convertit en un monologuista incorregible, que no accepta compartir el seu torn de paraula amb ningú, com als debats televisius.

I com que el seu estat no millora i ja només dóna classes molt de tant en tant, ara són els seus visitants els qui se'n beneficien. La vida, per a ell, s'ha convertit en un amfiteatre permanent.

A l'època en què ell mateix era alumne a les aules d'una institució privada, en Léonard Tannenbaum ja era un noi tan brillant com imprevisible, dedicat en tot moment a desafiar els seus professors o a improvisar discursos escandalosos a les assemblees generals, això quan no provava d'acariciar a la callada els genolls del seu veí.

I el veí, cada dos per tres, era en Blériot.

Que aquest amor en sentit únic –en Léonard li deu haver enviat ben bé un centenar de cartes– s'hagi pogut convertir un dia en una estimació mútua i gairebé exclusiva deu dependre d'una conjunció astrològica. Encara que aquesta relació tampoc no està del tot desproveïda de segones intencions, d'una banda i de l'altra.

Així, en Blériot, sempre necessitat, li demana tot sovint al seu exenamorat –és precisament el motiu de la seva presència aquest matí– uns quants bitllets dels grossos ben nous, sota els pretextos més diversos.

Sense comptar les traduccions d'articles que aconsegueix esgarrapar, perquè en Léonard forma part del comitè científic d'una desena de revistes americanes.

Fet i fet, no és impossible que aquest hagi pogut esperar un retorn de la inversió, però si és el cas, no n'ha dit mai res i hi deu haver acabat renunciant.

En contrapartida, perquè per força hi ha una contrapartida, en Blériot li ha de confessar els seus petits assumptes privats, evitant tant com pugui les circumlocucions i les explicacions psicològiques, que ens desposseeixen –en paraules d'en Léonard– de la nostra dignitat de pecador.

Si en el paper de director espiritual està impressionant, és igualment capaç d'interpretar, amb la mateixa convicció, un bisbe llibertí o també una gran dama burlada –Madame de Chevry-Tannenbaum– que li retreu a l'amic de ser un ingrat i d'haver-la deixada per una noia la reputació de la qual s'ha esbombat per tot París.

El que em molesta, veus, reietó meu, és que cada cop ets més com un petit toxicòman mancat de diners, li diu en Léonard alhora que li estén tres bitllets de cent, i jo em preocupo per tu. M'agradaria saber què t'intoxica tant a la teva edat.

Sense negar la seva part de responsabilitat, en Blériot es veu obligat a recordar-li, malgrat tot, que només es tracta d'un préstec a molt curt termini i que, d'altra banda, potser valdria més evitar parlar massa de diners, perquè les parets tenen orelles.

Amb això al·ludeix a en Rachid, l'home de companyia d'en Léonard, que acaba de tornar de comprar i que sent com es mou a la cuina.

Encara que també faci el paper d'assistent, de confident, d'amant i de fill adoptiu, en Rachid no correspon gens a la idea que ens podem fer d'un príncep blau. És més aviat un pallanga amb la cara plena de grans i un aspecte una mica tèrbol, que no pot evitar ficar-se en totes les converses i voler tenir raó contra tothom. Fins que el seu protector, exasperat, es veu obligat a emprar mesures dràstiques i sacsejar-lo com un pruner per fer-lo entrar en raó.

Després d'això, com a càstig, és relegat a la cuina i expulsat de la conversa.

Són formes patents de maltractament, en Blériot n'és conscient del tot, com també és conscient de ser en aquests instants el còmplice objectiu del torturador, alhora per la seva passivitat –que frega sovint la complaença– i per aquest costum desimbolt que ha adoptat de posar-se els auriculars i retirar-se en una habitació tan bon punt hi ha merder al menjador.

Tot això per tornar a ser a taula una hora més tard, com avui, davant els bunyols i les mandonguilles amb herbes que en Rachid ha preparat amorosament, mentre en Léonard es queixa en veu baixa de les ejaculacions precoces del seu amant, que atribueix a l'excitabilitat massa gran dels musulmans i l'angoixa que els causa fer coses prohibides.

Podries esperar que marxés, li assenyala en Blériot ben fluixet. Perquè hi ha dies en què les provocacions d'en Léonard el diverteixen i d'altres que el deprimeixen profundament com brams de solitud.

Al contrari del que creuen els meus companys de la universitat, continua ell, no penso gaire en els meus estudiants o en els meus pacients –en tot cas, no més que en Aristòtil–, penso en el sexe, sempre en el sexe.

Aquest cop, concentrat en el plat, en Blériot no fa cap comentari. Ha activat el seu dispositiu de protecció mental –el DPM– i s'aguanta l'alè mentre mira de fit a fit les engrunes escampades a la taula i el seu esperit vitrificat reflecteix les ombres i les llums de la tarda.

És sempre en aquests moments d'estupor i de ruïna moral, quan més desanimat se sent, que més troba a faltar la Nora, i li agradaria poder trucar-li perquè el vingués a buscar.

10

Quan sona el telèfon i sent per tercer o quart cop en Sam Gor-
ki preguntant-li tremolant si la Nora no ha tornat, en Murphy
s'afanya a penjar i a pensar en un altra cosa, com a home acos-
tumat a vigilar el vaivé de les seves emocions.

Fa dues setmanes –des que va passar aquella estranya vet-
llada a casa de la Vicky Laumett– que ja no pateix atacs d'an-
goixa, ni crisis de plors, i ja no pren cap antidepressiu. Gairebé
no beu, tampoc.

A més, com que coneix el seu temperament vulnerable en
aquest aspecte, s'ha començat a desempallegar de totes les am-
polles d'alcohol i pràcticament s'ha prohibit tota sortida, en
particular qualsevol visita a persones tan intemperants com ell.

Del seu episodi dolorós amb la Nora, només li'n queda un
vague malestar posttraumàtic, amb llangors de convalescent i
un estat de fatiga que de tant en tant l'obliga a prendre exci-
tants i a anar a córrer per un parc a bufar el seu nuvolet de va-
por matinal.

Aquest matí, corre una mitja hora, després decideix anar
dues illes de cases més lluny a nedar a la piscina municipal, amb
la intenció de mantenir una certa massa muscular.

A les nou en punt, es dutxa, es posa la camisa i el vestit
d'Armani d'operador de mercat, i unes deu estacions de metro
més tard –mentre fulleja el diari i fa unes quantes reflexions
sobre l'estat del món– arriba davant l'agència amb l'esperit
clar, les bateries recarregades, preparat per afrontar els atzars
dels mercats financers.

El gran ascensor de vidre s'atura al novè pis i en Murphy Blom-dale, amb la targeta d'identificació a la mà, segueix de prop els seus companys, sense fer-se més preguntes que aquelles que semblen fer-se ells en anar cap al seu lloc de treball, com si tots fossin moguts per una força sense intencionalitat i adoptessin automàticament aquesta màscara llisa i aquest aspecte enèrgic, per si el pas comminatori de la senyoreta Anderson ressonés darrere d'ells.

En la prolongació del vestíbul d'entrada, la sala principal flota constantment en una mena de penombra grisa, mentre les xifres blaves de les cotitzacions desfilen tot el dia per unes columnes de pantalles digitals.

Una trentena de persones intercanviables, dedicades a la informàtica i a les finances, treballen en aquesta atmosfera tan asèptica com la d'un laboratori, on queden excloses les passions polítiques i els afers sentimentals.

A més, cada cabina de treball està insonoritzada i aïllada per un envà de plexiglàs, perquè els pensaments del seu ocupant interfereixin el mínim en els del veí.

En aquest instant, els pensaments d'en Murphy estan del tot concentrats en la seva superior jeràrquica, la voluminosa senyoreta Anderson –una pèl-roja de metre vuitanta-dos–, que ocupa al final de tot del passadís un minúscul despatx vidrat on ha de vigilar de no moure's massa per no fer caure el mobiliari.

En si, aquesta senyoreta Anderson que tanta por li fa no és mala persona, només té un temperament impetuós, de manera que quan ordena efectuar tal operació en tal mercat és impensable ajornar-la i encara menys discutir-l'hi: la seva petició s'ha d'executar immediatament.

Sense que se sàpiga per què –deu ser freudià–, ha alimentat des del principi una estranya aversió contra en Murphy, a penes dissimulada, i no deixa passar cap ocasió d'aprofitar la seva vulnerabilitat actual per escridassar-lo davant els companys.

Encara que de vegades aquests semblen sorpresos amb el procediment, en Murphy, que coneix els costums del lloc, també sap que les dificultats que té amb la seva superior són motiu d'alegria per a uns quants, en particular per als canvistes Mike i Peter, que van sempre junts, com el Gog i el Magog, i l'eviten ostensiblement cada vegada que se'l creuen per por de tocar-lo, com si a més de ser americà i catòlic tingués la desgràcia de ser cleptòman.

Després de quatre o cinc hores de feina ininterrompuda i d'un dinar a corre-cuita, en Murphy es concedeix un petit moment d'esbarjo a la cafeteria, situada sis pisos més amunt. És un gran espai monocrom, il·luminat per una finestra oberta al Tàmesi, on li agrada anar a beure un refresc mentre observa els seus companys amb la curiositat d'un antropòleg que estudia els hàbits d'un grup social.

Conscient de l'efecte induït per l'observador sobre el seu camp d'observació, en general es fa tant invisible com pot i, quan el saluden, es limita a fer un petit gest amistós amb la mà, per no passar tampoc per un pretensiós.

En realitat, no sap què el desmoralitza més quan observa els seus companys, si l'adolescència perpètua dels uns o l'envelliment prematur dels altres, sens dubte imputable a l'excés de feina i a l'augment exponencial del consum d'alcohol.

La presència en aquest instant del cap de l'agència, en John Borowitz, sembla, doncs, més que inesperada. Ja que, a més de la seva sobrietat gairebé anacrònica, es distingeix en aquesta casa per una discreció pràcticament taciturna i per un rigor moral que imposa respecte a tothom. Si el general De Gaulle hagués sigut un morè alt amb uns reflexos argentats, hauríem pogut dir que en Borowitz tenia un cert aire gaullià.

Es troba millor?, pregunta a en Murphy amb la seva cordialitat habitual i aquell to una mica protector que adopta un antic alumne de Harvard –tots dos són de Boston– amb un de més jove.

Sap que sempre tinc grans projectes per a vostè, li xiuxiueja abans de desaparèixer amb el seu *espresso* a la mà.

Ara la cafeteria és pràcticament buida. A la terrassa coberta amb un tendal, dues noies que estan fumant fan uns crits histèrics quan el vent les despulla.

És en aquesta hora quan, abans, a en Murphy li agradava entrar en comunicació telepàtica amb la Nora. Se la trobava tranquil·lament asseguda amb un llibre a la mà en un cafè del Soho, o bé caminant pels passeigs del Green Park.

No endevinaràs mai el que t'he comprat, li cridava ella brandant un gran bossa de paper.

Sempre era una endevinalla de dues-centes o tres-centes lliures esterlines.

Avui, per molt que tanqui els ulls i busqui a les palpentes, la comunicació ja no funciona.

Sap que és molt lluny, perduda en una ciutat estrangera –probablement París–, i que ja no pensa en ell, però malauradament el telescopi de la seva gelosia és prou potent perquè li permeti veure-la a centenars de quilòmetres, botant en un llit sota els embats d'un desconegut.

Només de pensar que potser un dia es quedarà embarassada d'un altre, en aquest instant en Murphy és travessat per una nostàlgia tan gran –s'ha amagat al lavabo– que de seguida està a punt de posar-se a plorar.

11

Quan consulta el contestador –el seu pare ja li ha trucat dues vegades–, en Blériot es troba a la part de baix del Luxembourg, exactament a la cantonada del carrer Assas i del carrer Auguste Comte, recolzat a les reixes del jardí, atordit per la calor.

Té la impressió de tenir seixanta anys.

De sobte, sense premonició ni senyal d'avís, sent la veu de la Nora en l'últim missatge. I tot el que tenia al cap sobre el seu pare i la seva mare s'esborra instantàneament.

Som al dia vint-i-unè després de l'Ascensió.

Li diu en anglès, pronunciant correctament cada paraula, que passarà entre les cinc i les sis per davant del cafè on es veien abans, a baix de l'avinguda Daumesnil. Si no hi pot anar, li tornarà a trucar sens falta dimarts al matí, el tranquil·litza ella. I tot seguit s'acomiada.

Quan torna a travessar el parc en sentit contrari, se li ha redreçat la silueta, il·luminat la cara, fins al punt que certes persones es pregunten al banc on seuen si es tracta ben bé del mateix home. En Blériot, que decididament té el do de canviar d'edat a voluntat, avança un corredor, després dos, i es dirigeix cap al metro més proper amb aquell pas veloç que tenen els atletes de l'espera.

Al mateix temps –perquè es coneix–, s'esforça a no embalar-se i a prendre's-ho amb calma, per reflexionar amb serenitat sobre les decisions que cal prendre.

És conscient, per descomptat, que no ha de desaprofitar de cap manera aquesta segona oportunitat, i que, al contrari, l'ha de desplegar, organitzar, donar-li forma per fer-ne un programa de vida perdurable. Sense saber per on començaran.

Tot depèn d'ella i del que espera de la trobada.

Per la seva banda, en aquest precís moment, només sap que està tornant en si després de dos anys d'absència.

Mentre raona així, provant de no anar massa ràpid, se sent portat per un corrent de vida i per un nerviosisme tan grans –és probable que només sigui una impaciència infantil per ser feliç–, que a cada gambada té la sensació de rebotar sobre la vorera.

A aquesta velocitat, en Blériot arriba inevitablement una hora abans a baix de l'avinguda Daumesnil, i comença a fer la guaita darrere el vidre d'una camioneta aparcada a uns quants metres del lloc on han quedat, per així tenir l'avantatge de veure-la primer.

Després, se sent tranquil tot d'una, gairebé indiferent, com si per un efecte de dissociació es trobés no tant al moment present com al record d'aquest moment, i que tot el que veiés ja fos imprès en una planxa de fotografies argèntiques.

Hi ha impresos els núvols volant en formació sobre París, el cotxe negre aparcat al fons del cul-de-sac, les dues dones rosses que surten d'un hotel, el xinès que llança engrunes de pa als coloms o l'altre xinès que passa amb impaciència les pàgines d'una revista d'hípica, sense sospitar que ell també surt a la imatge.

La Nora arriba amb dos anys de retard, a les cinc en punt.

Mentre gira sobre ella mateixa buscant-lo amb la mirada, hi deixa d'haver sorolls, el buf de l'aire es torna inaudible, la rotació de la Terra s'interromp uns quants nanosegons –per sorpresa dels dos xinesos–, i en Blériot percep amb molta claredat la vibració de la seva pròpia emoció, com una mena d'ona sonora que s'allarga i que compta mentalment.

En realitat, la reconeix sense haver-la reconegut.

Entre el que era el dia que va marxar i el que és avui, té la impressió –potser pel vidre de la camioneta– que hi ha com una lleugera pel·lícula transparent que la converteix, a la vegada, en igual a ella mateixa i en imperceptiblement diferent.

Tot i així, és igual de juvenil i sensacional, té els mateixos cabells clars que li emmarquen les orelles, les mateixes pigues –són gairebé senyals distintius–, la mateixa elegància, amb la samarreta blanca sota una jaqueta de seda negra. Però hi ha una altra cosa, sembla que li ha canviat la cara, la té més enfonsada, més tensa, segurament per l'aprensió.

Potser pensa que ell no vindrà.

Però en Blériot, molt torbat per l'excitació il·lícita d'observar-la d'amagat, no es mou. Amb els ulls encara enganxats al vidre, prova de retenir aquell sentiment d'alegria que donen els principis, quan el futur encara reposa i tot està tranquil.

Quan per fi surt del seu amagatall, mans enlaire com si es rendís, ella fa una ganyota curiosa en veure'l, com un espasme d'estranyament o de timidesa, abans de fer dues o tres passes cap a ell i de saltar-li al coll sense fer cas del protocol.

Oh! Louis, I've missed you so much, so much, repeteix ella amb unes demostracions tan grans d'entusiasme que sembla una nena que no ha besat mai cap noi.

N'hi ha per quedar-se mut.

En Blériot prova, malgrat tot, de balbucejar alguna cosa per donar-li la benvinguda i dir-li que ell també l'esperava, però la seva veu trencada emet un mena de xiulet del qual només s'entén: Neville, ho sabia, t'asseguro que ho sabia.

No sabrà mai el que ell sabia, perquè ja l'ha arrossegat al cafè, estrenyent-li la mà.

Són dues mans que fa dos anys que no s'han tocat i que evidentment tenen pressa per estar juntes. Unes mans febrils i una mica suades, però que han establert una comunicació química que els fa feliços tot d'un plegat.

Un cop els seus ulls s'han acostumat a la penombra del cafè, van a seure d'esma al mateix lloc d'abans, en un racó, a prop de l'escala; demanen les mateixes begudes, com si no hagués canviat res i la temporalitat de l'amor fos indefinidament reversible.

Amb la diferència que, si en el temps personal d'ella sembla que hagin passat menys de quinze dies des que el va deixar, en el temps físic d'ell s'han escolat vint-i-cinc mesos, tres setmanes i cinc dies.

Quan per fi esbrina la manera com s'ha començat a organitzar la vida a París, la Nora li confia amb un petit somriure indecís que espera trobar d'aquí a poc temps una feina de recepcionista, però que en aquest moment camina més aviat per la corda fluixa, sense feina i sense diners.

Si no tingués la sort de viure en una casa del suburbi, que li ha deixat la seva cosina Bàrbara, li explica ella, les coses encara serien més complicades.

Sense dir-ho obertament, en Blériot hauria preferit un discurs una mica menys materialista, on per exemple s'hauria parlat d'ells dos i de què fa sense ell des que és a París. Però cada cosa vindrà al seu temps.

Com que ell és una persona inflamable i timorata alhora, evidentment no s'atreveix a demanar-li de portar-lo de seguida a visitar la seva casa del suburbi. I com que per la seva banda ella no mostra cap senyal d'impaciència –ha demanat una altra cervesa– i es comporta exactament com si tinguessin tota la vida per davant, és probable que hagi d'esperar una bona estona.

Encara que, per certs indicis subliminals, no està lluny de pensar que l'un i l'altre tenen les mateixes preocupacions.

En tot cas, ha calgut que ell mateix li proposés d'agafar un taxi –sembla que ella només esperava això– perquè s'acabés la cervesa d'un glop, en un gest que li deixa els llavis plens d'escuma.

Aleshores se'n van junts cap a la porta Dorée a buscar una parada, agafats encara de la mà i les cames perdent pesantor fins al punt que hi ha moments que sembla que llisquin en comptes de caminar, com en Fred Astaire passejant-se amb la Judy Garland.

Així s'explica la rapidesa, un cop efectuats els pocs ajustaments necessaris, amb què han retrobat la naturalitat de la seva entesa i el plaer de caminar l'un al costat de l'altre pels carrers i de besar-se als taxis.

Per cert, encara es continuen besant a l'entrada de la circumval·lació, i aquest petó, que deu ser el més llarg de la història —en Blériot encara fa apnea—, s'acaba uns quilòmetres més enllà, en un carrer sense sortida, a les altures dels Lilas.

Quan surten del taxi, el sol de la tarda encara és calent i la caseta de rajoles blanques —és aquí, diu la Nora mentre empeny el portal del jardí— sembla que reflecteix la llum d'un estiu perpetu.

Saps què?, diu la Nora ensenyant-li tot d'una la bossa. No, confessa ell.

No trobo les claus de casa.

12

Han entrat per la finestra del jardí obrint els finestrons.

Aleshores, les seves passes ressonen com a dins d'una casa buida. En Blériot veu unes caixes apilades sobre el parquet del menjador i uns mobles coberts amb un llençol blanc. Al mig del passadís, una habitació il·luminada amb un bombeta nua conté material d'oficina.

La cuina sembla l'únic lloc habitat d'aquesta casa. És una cuina de luxe, tota d'acer inoxidable, amb un taulell de marbre i una nevera immensa de portes vidrades.

A què es dedica la teva cosina Bàrbara?, pregunta ell mentre li passa discretament la mà per l'esquena. (Sembla com si des que estan sols en aquesta casa ja no s'atrevissin a mirar-se de cara ni a besar-se.)

Crec que fa auditories, és fora la meitat de l'any. Ara mateix és de viatge de negocis a Singapur, diu ella. Està tallada exactament amb el mateix patró que la meva germana.

Jo sóc l'ovella negra de la família, continua mentre porta una ampolla i unes copes.

Encara no m'has dit què feies a Londres.

Seguia uns cursos de teatre, al barri de Camden Road. Era un curs bastant dolent i penso que no em costarà trobar-ne un de millor aquí, afegeix ella mentre es beu el vi a la finestra, amb el cos abocat al jardí.

Deuen ser una mica més de les nou, potser dos quarts de deu, calcula en Blériot, tot constatant que la llum de la nit li va de meravella.

Es queda un moment silenciós, mirant-se la copa. El nerviosisme, l'emoció, que reconeix per un brunziment característic de la seva orella interna, li han fet oblidar el que li volia dir sobre el teatre.

Un cop s'ha acabat la copa i s'ha fumat un cigarret, li demana amb prudència –sempre hi pot haver un error d'interpretació– si no voldria pas que anessin a l'habitació, perquè ja està una mica tip d'estar assegut a la cuina.

Com vulguis, diu ella, mirant-se'l amb els seus ulls marrons.

El dormitori en qüestió és un gran espai sense mobles –tan sols un llit i un televisor– que recorda una habitació d'hotel, amb un lavabo i un forat que fa de guarda-roba. Les coses de la Nora estan escampades per terra.

La Bàrbara m'ha promès que faria portar uns quants mobles al setembre, li explica mentre encén el televisor i seu al llit, amb les cames plegades sota la faldilla.

En Blériot s'atura, una mica sorprès per aquesta iniciativa, abans d'imitar-la i deixar-se caure ell també al llit.

Com si no anés amb ell, se li ha acostat ben a prop, li passa un braç al voltant de la cintura i li comença a mossegar amb suavitat la nuca i les espatlles, mentre ella no deixa de canviar de canal.

Espero que hagis tornat per veure'm a mi i no per veure l'Spencer, li diu ell de cop i volta, com si l'assaltés un dubte.

Louis, recordes la nostra regla?, li diu ella amb els ulls fixos en la cara ansiosa de la Natalie Wood. Quan estem junts, els altres deixen d'existir. Però per si et tranquil·litza, l'Spencer viu a Edimburg, està casat i dirigeix l'empresa que li va deixar el seu pare.

I el de després?, diu ell.

El de després encara viu a Londres, però si et sembla bé, preferiria que parléssim d'una altra cosa.

Aleshores, es produeix un curt moment de vacil·lació.

Et prometo que no en tornarem a parlar, li diu en Blériot mentre li agafa distretament els pits posant les mans com copes, cosa que gairebé el sorprèn, de tant confús com és el coneixement que té la nostra ànima dels cossos exteriors.

Però les seves mans no somien. Són ben bé els pits de la Nora els que manté captius.

Com donant-li'n la confirmació, ella s'aparta un segon per apagar el televisor i torna tranquil·lament a seure al costat d'ell, i li fa un petó als llavis mentre li descorda la corbata –sembla que ho hagi fet sempre.

Un cop tots dos s'han tret la camisa, sense pressa, sense atabalar-se gens, amb uns gestos pràcticament sincronitzats, es continuen despullant l'un a l'altre enmig de l'habitació, ella estirant-li amb totes les forces els texans –ja s'ha tret les sabates–, i ell traient-li la faldilla com en un somni, olorant-li de passada la frescor miraculosa de les natges.

Quan per fi està estirada de través al llit amb les mans encreuades sota el cap, en Blériot es queda uns quants segons de peu, amb un nus a la gola, en una mena d'èxtasi tactiloòptic que el fa tremolar mentre li examina cada part del cos retrobat: els pits, el sexe, la pelvis, les cuixes d'adolescent, els grans peus prims i el melic minúscul que sobresurt, que li recorda el nus d'un globus de plàstic.

Te n'adones, Neville?, fa dos anys. Dos anys, insisteix, inclinat sobre ella mentre la seva gran ombra li enfosqueix els ulls.

És veritat, Louis, tinc moltes coses per fer-me perdonar, reconeix la Nora, aprofita-ho.

És la frase més estranya i excitant que en Blériot ha sentit mai.

Així doncs, s'estira sobre el cos de la penitent, amb la cara amagada en el seu coll, i durant una bona estona es queden així en la foscor, silenciosos, tremolosos, com si sentissin la dopamina fluir dins els seus cervells.

Després s'incorpora i es recolza sobre les mans per continuar mirant-la, i quan es posa a moure's amb lentitud, detingudament, i comença aquesta estranya operació d'absorció, que és un desafiament a les lleis de la física –ja que en principi dos cossos no poden existir simultàniament en un mateix punt–, els ulls de la Nora es tornen d'una limpidesa irreal, gairebé lunar.

Ja no saben si a fora és de dia o de nit. En Blériot té la impressió que la seva abraçada podrà durar hores i hores i que es posaran a batre uns rècords que no s'igualaran mai.

Encara que en un moment donat, sense saber com, el nom de Sabine li torna a l'esperit –la Sabine, que l'espera tota sola al pis–, i tot d'una es queda suspès en el buit.

Després remena el cap per alliberar-se d'aquesta idea i es torna a capbussar gairebé de seguida, endut pel corrent genèsic.

Segueix un breu interval d'oblit i d'acontentament compartit –totes les parts del seu cos se'n veuen afectades en el mateix grau–, fins que tot d'una la Nora l'agafa pel coll com si tingués alguna cosa molt important per dir-li, i li fa un llarg crit dolç a l'orella, el mateix que fan les sirenes.

L'instant següent, les seves cames pateixen una convulsió, en una última crispació, i fa un salt de costat, llançant un crit molt diferent: se li ha enrampat el tou de la cama.

Una rampa?, s'exclama en Blériot, com si ell no n'hagués tingut mai cap.

13

L'endemà al matí, surt de la casa i es troba en aquell carrer de poble, a la part alta dels Lilas, amb els sentits tan vius a causa de la fatiga que el més petit soroll el fa sobresaltar. La llum del dia li crema els ulls.

Per relaxar-se, treu de la butxaca el seu iPod i escolta ben fluix l'*Élégie* de Massenet, tot caminant cap a la circumval·lació.

Dos o tres carrers més lluny, es creua amb uns camions del servei de neteja que donen la volta a una plaça abans de ficar-se per un carrer que fa pendent. Els treballadors municipals, calçats amb botes, netegen l'asfalt amb un raig d'aigua. Després del seu pas, les voreres semblen platges xopes. L'aire és molt blau.

Pres per una lleugera sensació de distorsió temporal, en Blériot té el sentiment que ja s'ha fet tard, però en realitat no són ni les deu al seu rellotge. En baixar, reconeix la vacuïtat dels diumenges al matí, el tràfic escàs.

Per una finestra entreoberta, veu un home adormit al llit, i una nena petita al seu costat que es llepa tranquil·lament el polze, amb els ulls clavats al sostre, mentre escolta la ràdio.

Després d'haver provat de trucar a la Nora, ha entrat en un restaurant, ha demanat un cafè i dos croissants i s'ha assegut en una banqueta darrere el vidre, de sobte dividit entre la satisfacció d'estar sol en aquest local mig buit i el desànim de pensar que aviat ha de tornar a casa.

En Blériot, que encara creu en la justícia immanent, es pregunta algunes vegades amb quin preu pagarà aquesta vida falsa.

Amb un càncer de pulmó? Amb un accident de cotxe? Amb una depressió de cavall?

De totes maneres, sap que haurà de pagar alguna cosa.

El seu instint de conservació li diu inclús que potser ja comença a ser hora d'avisar la seva dona i de recuperar la seva llibertat, per salvar allò que encara es pugui salvar.

Però intueix massa bé que no ho aconseguirà –en tot cas, avui no– perquè coneix el seu immobilisme, els seus ajornaments perpetus, la seva afecció pueril pels lligams del passat, i sobretot, perquè té l'esperança secreta que la Sabine prendrà la decisió abans que ell.

Un dia, ell trucarà a l'intèrfon: s'ha acabat, li dirà l'aparell, te'n pots anar, ja no hi ha res a fer.

Per saber a què atenir-se, picarà un cop més al timbre. T'he dit que s'ha acabat!, cridarà l'aparell, ara deixa'm en pau.

I se n'anirà. Sortirà de la seva vida com se surt d'una habitació, demanant excuses per haver-se equivocat de porta.

A causa del sol –de cop i volta fa una calor africana, sense ni una gota d'aire– refusa caminar més estona i agafa un taxi a la porta dels Lilas. El cotxe té aire condicionat, el xofer vietnamita duu uns guants blancs. Durant un instant, en Blériot, que s'ha tornat a posar la seva música, se sent gairebé feliç com si no li faltés res.

En baixar del taxi, al peu de l'edifici on viu, desa prudentment els auriculars i les ulleres negres –com aquells malfactors que, un cop comès el crim, no tenen res més urgent a fer que amagar al fons del jardí el nas gros i la barba postissa–, i després empeny la porta d'entrada, vist i no vist.

A l'escala, sent que té la gola seca i com li bateguen les temples.

Troba la seva dona asseguda al menjador, davant l'ordinador. Quan s'inclina per besar-la, ella para distretament la galta, i continua grapejant el teclat com si res.

Però li sembla que està més pàl·lida, més distant, potser més irritable que de costum.

Aleshores, en Blériot, encara una mica acovardit, travessa el menjador sense dir res, ben a prop de la paret, i esforçant-se a no ensopegar amb els mobles i a seure de la manera més discreta possible al sofà del fons, amb l'esperança que les seves maneres humils i el seu aire abatut la predisposaran favorablement.

Em pensava que se t'acudiria trucar-me, comenta ella sense deixar d'escriure. De manera que durant els pocs segons de silenci que segueixen té la impressió que està redactant una denúncia.

Cosa que fa augmentar una mica més el seu sentiment d'incomoditat.

Hi he pensat, però creia que tornaria molt més aviat, afirma ell, i es pregunta si aquesta declaració serà tinguda en compte en descàrrec seu.

Suposo que eres a casa d'uns amics i que t'ho passaves la mar de bé, diu ella tot girant-se per mirar-lo. En realitat, tots sou iguals. Hi ha dies que em dic que ets tan fals com els altres.

En Blériot no sap a qui es refereix, però com que no té cap ganes de pagar els plats trencats, creu convenient rectificar el seu judici i assegurar-li que s'equivoca de dalt a baix, ja que ha passat la nit treballant a casa d'en Léonard.

Estàvem tots dos desbordats de feina, diu ell, perquè havíem de traduir almenys una vintena de pàgines.

Però alguna cosa a la mirada li impedeix anar més lluny.

Ella se li ha acostat mirant-se'l de fit a fit amb uns ulls impressionants, uns ulls intel·ligents i tristos com no n'ha vist mai a la seva vida, i ell abaixa el cap i s'estreny contra ella recitant interiorment un acte de contrició.

Encara que sàpiga que no és culpa de ningú.

Perquè l'amor no té solució.

A les tres, l'aire continua igual de calent al pis malgrat els ventiladors. Dinen junts, asseguts a la cuina. Cadascú fent el seu paper, ell en el del fill culpable, ella en el de la mare amorosa, infinitament indulgent, que cada vegada li perdona les ofenses, per fatiga o per fatalisme.

A en Blériot li agradaria agafar-li la mà i dir-li alguna cosa tendra i espontània per alliberar-se del sentiment d'indignitat, però no li surt cap paraula.

Al cap d'un cert temps, sent que se li adormen els membres sota el pes de la immobilitat. La rigidesa i el silenci el comencen inclús a marejar i veu el moment en què li tornarà a venir una de les seves migranyes.

Sembla que tot s'ha aturat en ells i al seu voltant. Ja no hi ha ni un soroll, a fora.

Tret de la caiguda d'una gota d'aigua dins l'aigüera, res no indica ni tan sols que el temps continuï escolant-se.

Amb les mans planes damunt la taula, els dits separats, en Blériot, que sembla que compti els segons, es fixa fins en les ranures de la fusta, fins en les ombres dels coberts d'acer inoxidable, com si fos un contemplador hipnòtic.

L'escena és tan llarga i persistent que sembla gravada en marbre.

Louis, t'agradaria acompanyar-me a Milà?, li pregunta ella de sobte, com si el volgués treure del seu somni.

Són només dos o tres dies. Podries visitar la ciutat mentre jo treballo, airejar-te una mica i anar en tren fins a Bèrgam o Verona. Seria molt fàcil.

És veritat que m'agradaria tornar a veure Verona, però ara tinc massa compromisos i no me'n surto, li respon ell com un mentider compulsiu.

Cosa que li permet, si més no, aixecar-se de taula i, sense solució de continuïtat, fugir cap al seu despatx.

La seva dona no diu res, però ell té la sensació que el segueixen uns ulls amb raigs X.

Passa una part del dia en un estat d'ansietat fluctuant, amb el cap immers en el diccionari («sexe» i «segador», descobreix a l'atzar, tenen la mateixa arrel: *secare*); després tradueix deu ratlles d'un text sobre els trastorns limfàtics, i, finalment, telefona al seu pare.

El caràcter de la seva mare continua sent igual de problemàtic i l'atmosfera a casa igual d'asfixiant, li resumeix el seu pare a través de les crepitacions del telèfon, com si li parlés des d'un país tropical on plou sense parar.

Podries venir un dia d'aquests?

En aquest moment no sé si puc, respon.

Llavors, dos o tres minuts més tard —els experts segurament hi veuran el senyal d'una personalitat escindida—, ja té ganes de trucar a la Nora i de tornar a la seva caseta.

I és realment un desig molt fort.

Com que s'ha convençut des de fa temps que la química és menys costosa que la psicologia, en Blériot s'acaba prenent un Valium i s'estira al llit, amb els ulls a la penombra.

Cargolat en posició fetal, en aquests moments s'assembla a un home al límit de l'esgotament nerviós, perdut entre els problemes familiars, les preocupacions de traductor i les angoixes de marit adúlter.

Al final de la tarda, per complaure la Sabine, es troba amb ella al menjador i miren junts a la televisió un capítol antic de *Star Trek*; té el cap recolzat contra la seva espatlla i sosté un gran coixí premut sobre el seu ventre com un home que tem l'efecte emètic de la ingravidesa.

Hem patit una avaria important, capità, però hem mantingut el control de la nau, diu l'Spock fent el seu informe al capità Kirk.

Que tothom torni al seu lloc, respon el capità Kirk amb la mirada fixa en el cel incandescent.

Gràcies a l'Spok, tot va bé si acaba bé, diu el doctor McCoy.

En Blériot, ell, no diu res, encara que pel que fa al seu problema, de la Sabine i seu, li agradaria poder ser igual d'afirmatiu.

I ara, directes cap a Tantalus, etziba el capità Kirk.

14

A la vora del llac, en Murphy Blomdale veu fugaçment una parella d'obesos vestits com uns marcians que fan fotografies de tot el que veuen, amb la probable intenció de revendre-les un dia a Mart.

La llum és tan encegadora a aquesta hora que ell prefereix refugiar-se a l'ombra i comprar-se un refresc.

Després, arrenca suaument, amb precaució tomba cap a Marble Arch i es posa altra vegada a córrer tot sol pels passeigs del parc amb el cor i l'esperit buits.

Tot i que encara té alguns moments de desesperació i que la seva vida li sembla cruelment limitada, en Murphy en realitat no és més desgraciat que qualsevol altre. Només és més apàtic, més lent, com si patís una mena de carència existencial.

Aquest matí, tot just ha tornat del parc i s'ha instal·lat davant el televisor, s'adorm precisament al bell mig d'una bonica pel·lícula xinesa. Té el diari sobre els genolls i el cap tirat enrere, ben bé en la mateixa posició que el seu pare i que el pare del seu pare.

Hi ha dies que sent com el seu cos envelleix sobre el sofà, segurament perquè la immobilitat li aguditza de manera anòmala la percepció del flux temporal.

Quan el telèfon l'ha despertat d'un bot, en Murphy ha cregut que era la Vicky Laumett. Per molts anys!, ha cridat una noia en francès. No era la Vicky, doncs.

Després ho ha entès. Encara penses en mi?, s'ha estranyat.

La prova: no he oblidat el dia del teu aniversari.

Jo l'havia oblidat, diu en Murphy.

Aleshores hi ha un llarg moment d'incertesa, com si ella s'anés a posar a plorar.

Digues-me, Nora, tens la intenció de trucar-me un cop l'any?, li pregunta en Murphy ironitzant gairebé a desgrat seu. Perquè això no és propi d'ell, ni tan sols en el seu interès objectiu.

Però hem de creure que quan esperem tant de temps que l'altre ens doni un senyal de vida, la punxa de la rancúnia tarda a esmussar-se.

Et trucaré tan sovint com pugui, li respon ella amb una veu dòcil. Però de moment, busco feina a París i també m'agradaria trobar un curs de teatre, per això m'has de concedir unes quantes setmanes de descans.

En Murphy no reacciona de seguida. Deixa passar un moment d'indecisió i li demana en un to despreocupat, com si es tractés només d'un detall, si viu sola a París.

Estic obligada a respondre't?

No, fa ell, després d'un altre moment d'indecisió, perquè evidentment sap a què atenir-se.

Fins i tot sembla que la figura d'aquell de qui no vol parlar es retalla ara dins l'habitació, sobre un mur de silenci.

Encara ets aquí?, diu ella.

Sóc aquí, Nora. Ets tu qui no ets aquí. D'altra banda, m'agradaria que em diguessis d'una vegada per totes si t'he de seguir esperant o no, o si val més que faci el meu dol i que giri full, com un noi gran.

No t'he pas dit que no ens tornaríem a veure, el reprèn ella fluixet, t'he dit que de moment em quedava a París perquè hi he de fer moltes coses i no tinc gaire disponibilitat.

Uns quants minuts més tard, quan ella li recita la llista de tot el que ha previst fer a París, afegint-hi un munt de detalls i de digressions esgotadores, en Murphy ja no l'escolta. O més aviat, de la mateixa manera que es canvia de pista al transcurs d'una gravació, ha esborrat la lletra per deixar només el so.

El so de la seva veu de noia, amb la seva respiració, les seves indecisions, les seves caigudes, els seus silencis, les seves represes precipitades, com en un cant del qual ha retrobat la melodia sobtadament.

Ell ja no diu ni una paraula. Se l'escolta estirat al sofà, envaït per una melancolia oceànica.

Em sents?, diu ella de cop i volta amb veu preocupada. Podries dir alguna cosa.

Et deixo parlar. Tan sols espero que em diguis quan comptes tornar a Londres, respon ell endevinant que li repetirà que no ho sap. Perquè ha escollit no escollir i guardar-s'ho tot per a ella.

T'avisaré de seguida que pugui, li promet ella. Murphy, estàs enfadat amb mi?

No, li xiuxiueja al telèfon. Esperem la teva promesa, deia sant Agustí, amb la tensió de la paciència.

Oh, Murphy, no canviaràs mai.

És ell qui penja primer. Es queda un moment amb el cor bategant a la penombra, després es dutxa.

Encara estic enamorat d'aquesta noia, observa tot seguit en sortir de casa amb la mateixa objectivitat que hauria dit: Ostres, encara és de dia.

No és un canvi de punt de vista o de tendència, és un canvi d'amplitud de la seva ànima. Alguna cosa que de sobte li impedeix renunciar a ser feliç.

Al mateix temps que camina a l'atzar per Islington respirant la frescor del vent que s'escampa pels carrers sobreescalfats, en Murphy sent com una espècie d'excitació interior acompanyada de tremolors febrils, i en comptes de passar la nit del seu trenta-quatrè aniversari tot sol, de cop i volta té ganes d'anar a un lloc on hi hagi gent.

Així doncs, gira cap a les terrasses atapeïdes que voregen Upper Street, i a l'altura de l'estació de metro s'endinsa cap a Rosebery.

En realitat, són les cames les que el porten per elles mateixes en aquesta direcció, i camina com un autòmat, sense pesantor, sense fatiga, fins que torna en si quan reconeix els vidres del Mercey. L'hotel de la seva primera cita.

Malgrat la seva insistència, ella no havia volgut anar a casa seva, perquè ell encara vivia oficialment amb l'Elisabeth Carlo i havia considerat que això no es feia.

Ara, davant les portes de l'hotel, ho retroba tot. Els passadissos blavosos, els misteriosos ascensors, l'habitació profunda, els seus dos cossos encaixats l'un en l'altre, la lleugera olor de la seva suor, el soroll ofegat del carrer, la llum de juliol.

I com que el record és deu vegades més intens que allò que hem viscut −a causa del valor afegit pel pensament−, a en Murphy Blomdale se li talla l'alè.

15

Malgrat la distància que els separa, tenim la impressió constant que en Murphy i en Blériot es desplacen a banda i banda d'una paret molt fina, tan translúcida com un envà de paper, cadascú coneixent l'existència de l'altre, pensant-hi necessàriament, però sense poder-hi donar un nom o una cara, de manera que sembla que tots dos van a les palpentes com somnàmbuls que avancen per uns corredors paral·lels.

Mentre en Murphy Blomdale, a la sortida de la feina, camina a grans gambades per Fleet Street amoïnat pel bram de la tempesta, en Blériot puja pel carrer de Belleville sota una pluja batent penedint-se amargament de no haver agafat un taxi per les seves dificultats econòmiques. Perquè ara la pluja li fa reguerons al llarg de les mànigues de la jaqueta.

Un cop arribat a l'altura del cementiri, travessa de biaix el riu de l'aiguat i es refugia a l'entrada d'una estació de metro, mentre s'espolsa la roba i s'eixuga els cabells. Tot seguit, espera sota el seu refugi picant de peus, enmig d'un grup de pakistanesos taciturns.

Va pel tercer cigarret quan la visió fugaç d'una noia enfilada al seient del darrere d'una moto, amb la faldilla blanca inflada com un paracaigudes, aconsegueix per fi reconciliar-lo amb la pluja, perquè li recorda fortuïtament que la Nora l'espera a casa.

I tan de sobte com els seus problemes de diners l'havien entristit, la idea de la Nora, la idea de la seva bellesa, de la seva noreïtat, li torna l'optimisme.

En Blériot surt del refugi sense més demora, abandona els

pakistanesos a la seva sort, i es decideix a anar a la porta dels Lilas entre dues cortines de pluja, guiat per la remor i els llums de la circumval·lació. A l'altre costat, hi ha el silenci, la semifoscor dels barris suburbans.

A partir d'aquest instant, una mena de gravitació familiar el porta cap a la placeta on havia trobat un restaurant, amb els seus arbres negres i els seus carrers inclinats per on regalima la pluja.

Tots els comerços estan tancats, evidentment. Les construccions de rajola vermella sobre el carrer evoquen un paisatge obrer dels anys cinquanta, del qual en Blériot està ben convençut de ser l'únic visitant a aquesta hora. Fins que a l'altre costat de la plaça percep la presència d'un home molt alt, cofat amb un barret, que s'està al peu d'un arbre, com si passegés un gos.

En la mesura que es pot jutjar des d'aquesta distància, sembla que l'home l'observa sota el paraigua. Dos carrers més lluny, en Blériot, mogut per un pressentiment, torna a girar el cap i s'adona que l'altre, que no té cap gos, camina uns quants metres enrere.

Encara que la situació és del tot inèdita, curiosament no experimenta cap mena de temor. I fins quan es posa a accelerar el pas i a girar-se a cada cantonada, és més una reacció de curiositat que no pas una veritable fugida, com si es tractés d'una mena de joc entre tots dos.

Perquè l'altre encara és darrere d'ell, il·luminat per una lluna rodona.

La silueta colossal i lleugera desapareix de tant en tant, interceptada per l'ombra dels arbres, abans de reaparèixer a la llum i d'aturar-se al mateix temps que ell, després torna a marxar, imposant-se uns moviments perfectament controlats i silenciosos, després s'atura de nou. Aleshores cadascú recupera l'alè.

De cop i volta –potser per la seva alçada, per com camina– se li acut que es tracta d'en Léonard i està a punt de cridar-lo. Però alhora, encara que li coneix la faceta excèntrica, no veu què l'hauria pogut empènyer a improvisar aquest joc de fet i amagar en una nit de pluja diluviana.

Quan arriba davant d'una obra protegida per una tanca, gira un cop més el cap i no veu ningú. Les voreres estan buides, l'aigua s'escola per les clavegueres. Per molt que en Blériot estigui persuadit que l'home del barret no és més que una projecció de la seva angoixa, no se sent menys alleujat.

Es queda un moment recolzat a la tanca, en la llum ataronjada del sodi; després, com que ja no sent cap soroll al seu voltant, decideix prosseguir el camí en comptes de perdre's en especulacions.

La vibració del mòbil a la butxaca dels pantalons li recorda en aquest instant que la seva dona ja ha provat una vegada de posar-se en contacte amb ell des de Milà, que ara deu ser a l'hotel i es deu amoïnar amb el seu silenci. I això, efectivament, no és gaire considerat per part seva. Però encara que senti les advertències de la seva consciència, en Blériot, que sap que l'esperen, tampoc no té ganes de renunciar als seus projectes.

Al contrari, opta per apagar el mòbil i no fer cap canvi en la línia de conducta. Com si en algun lloc, en un altre nivell de la seva psique, encara fos un home lliure de fer el que li plau.

A la Nora se la veu tota esquifida sota el llindar de la porta del jardí, vestida amb uns pantalons curts i una camisa d'home dues talles massa gran.

Arribo de seguida, li crida mentre surt descalça per obrir-li el portal. A causa dels tolls de pluja, sembla que travessi la gespa amb peülles de cérvola.

Què feies?, li diu besant-lo. Jo m'havia adormit.

A dins, en Blériot es treu ràpidament la roba mullada i se serveix una copa de vi blanc abans de passar pel lavabo. No li ha dit res del que li acabava de passar.

Louis, saps que he aconseguit trobar feina? li anuncia ella a través de la porta.

On?, fa ell mentre busca l'assecador.

En un hotel, al costat de l'aeroport Roissy CDG. Així em podré pagar els cursos de teatre.

Un cop són junts a l'habitació, en Blériot s'atura un segon per descobrir-li les orelles i ensumar-li la pell humida mentre li treu la camisa amb la traça d'un prestidigitador, després, sense més explicacions, se l'enduu al llit.

Ara que estan estirats sobre els llençols sense dir res, cap contra cap, ell l'acaricia a poc a poc, metòdicament, com si es tractés de compensar tots els endarreriments de tendresa que li deu i dels quals se sent moralment responsable.

A més, tenen temps, tenen tota la immensitat d'una nit i d'un dia per davant.

Per tant, entre dues rebolcades al llit, poden xerrar, beure vi, escoltar música, mirar la televisió, és a dir, fer tot el que haurien fet cada vespre si fossin una parella legítima.

A proposta de la Nora, aprofiten per traçar les grans línies d'un programa de vida, en què, concretament, tindran prohibit mentir-se, estar gelosos, fer comentaris agressius, cultivar pensaments negatius o amagar a l'altre la causa de la pròpia pena.

És un programa que em va molt bé, diu en Blériot desplaçant un dit sobre els seus panxells setinats.

En virtut de la qual cosa, la Nora creu necessari fer-li saber que fa uns dies va telefonar al seu excompany. El que viu a Londres.

Era el seu aniversari, i et confesso que no em vaig sentir

gaire orgullosa de descobrir que era tan desgraciat, diu ella asseguda al llit, tota fràgil i mig despullada.

Tens la intenció de tornar amb ell?, s'amoïna tot d'una en Blériot mentre es torna a servir una gran copa de vi.

De vegades no pot evitar preguntar-se, en recordar totes les noies en crisi que ha conegut –començant per la seva dona–, per què sempre va després dels altres, i per què li toca sempre a ell recollir la cendra de les seves històries. Li podrien trobar una altra feina.

Ja et penedeixes d'haver-lo deixat?

No, Louis, no és això en absolut. M'agradaria tornar-lo a veure, només una vegada, diu la Nora amb un somriure enigmàtic.

Un somriure que ha d'agafar o deixar.

La decisió és teva, reconeix en Blériot, provant d'adoptar sobre aquest tema concret –s'emmarca en els termes del seu programa– una actitud tan liberal com sigui possible. Encara que no s'empassi necessàriament tot el que ella li explica.

Saps què?, diu estirant-se a sobre d'ell i agafant-li les espatlles.

No, diu en Blériot, que tem el que li anunciarà.

Em fas feliç.

Et faig feliç?, repeteix ell estranyat; se sent tan imperfecte, tan poc disponible, tan poc competent per satisfer una dona, sobretot una dona de la seva edat...

Sí, perquè et trobo excitant, diu ella mirant-se'l amb els ulls de bronze d'un tigre.

Al moment d'aixecar-se, s'adonen que la nit s'ha tornat a aclarir, gairebé sense cap núvol. Mentre ell busca a baix alguna cosa per menjar, la Nora apareix per l'escala amb un vestit llarg i cenyit, de color blau malva, digne d'una heroïna de Hitchcock.

Shall we go out?, li pregunta ella, recolzada a la barana.

A la imatge següent, els veiem d'esquena sortint a la llum lunar del jardí.

16

A les vuit, la Nora ja és a baix, amb la cara una mica descomposta i els cabells despentinats. Per esmorzar, mengen de pressa una llesca de pa i beuen el vi blanc que els ha sobrat. En el silenci matinal, la porta de la gran nevera fa soroll de cautxú en obrir-se i tancar-se pesadament. Després, es despullen i s'entretenen al lavabo, tot escoltant la ràdio.

En pensar en aquest dia de vacances amb la Nora —en principi, la seva dona no tornarà fins al vespre—, en Blériot sent sota la dutxa la seva ànima tota arrissada de petites onades de felicitat. A més, fa un dia molt bo.

De tant en tant, la llum provinent del jardí retalla sobre les rajoles blanques les seves dues ombres, que somriuen com si ho fessin des de fa segles.

Després d'haver-se afaitat, seu en un tamboret amb el cap dòcilment tirat enrere mentre la Nora, sense res a sobre, li fa un massatge al cuir cabellut abans de perfilar-li les celles —Louis, estigues tranquil— i de llimar-li les ungles com una autèntica professional.

La vida és breu, li diu ell.

Quan se la mira així de molt a prop —està recolzada a sobre d'ell—, en Blériot té la sensació que la forma de la seva cara inclinada es dissol en milions d'àtoms lluminosos que la fan resplendir.

Perquè està radiant, tan cert com que ell és feliç.

Per descomptat, si filem prim, podem distingir una petita pansa aquí o una cicatriu allà, però són defectes microscòpics que sols justament una mirada amorosa és capaç de veure i de memoritzar després per a la seva delectació personal.

T'he dit que t'estiguis tranquil, li repeteix ella mentre prova de treure-li un punt negre a la part de dalt del front.

Com que en Blériot és un bon noi, de seguida li enretira la mà d'entre les cames i es queda quiet.

A fora, quan surten, el sol ja regna sobre la ciutat, i els seus subjectes, que podem reconèixer gràcies a les gorres de visera i les ulleres fosques, van d'arbre en arbre buscant una mica de frescor.

La Nora i el seu amant, que no duen gorra, caminen ben arran de les parets dels edificis evitant les avingudes rectes en favor dels carrerons ombrívols, amb el risc de trobar-se en llocs del tot desconeguts, en barris abandonats, en places sense vida que travessen a bell ull, amb la sensació excitant aquí o allà, —els falta poc per despullar-se al mig del carrer— de no haver arribat enlloc.

Louis, començo a estar afamada, es queixa ella com si fos culpa seva.

Deuen ser almenys dos quarts de tres quan entren rendits de fatiga a l'únic restaurant del barri encara obert. El local buit sembla desmesurat a la penombra i els seients de molesquí, trets d'una pel·lícula de la postguerra. Però no fan comentaris.

Seuen amb discreció en un racó, les mans quietes sobre la taula, esperant que algú els vulgui atendre.

Han vingut, són tots aquí, canta de cop i volta la veu de Charles Aznavour, moment en què una cambrera despentinada, llibreta en mà, els dóna a escollir entre una truita d'herbes i un bistec amb puré.

Durant un instant es miren incrèduls.

La Mamma, crida l'Aznavour des de la cuina. Cosa que desencadena un d'aquells atacs de riure pandèmics dels quals només la Nora sap el secret.

Bistec amb puré, contesten ells de seguida, i es tornen a

posar seriosos, ja que la paciència de la cambrera sembla que té un límit.

Després el silenci torna a la sala. De tant en tant, el rugit d'un camió o uns crits a la vorera els recorden que la vida a l'exterior continua el seu curs i que la gent treballa o es dedica als seus assumptes en la calor asfixiant de la tarda.

D'altra banda, el dinar és tan mediocre com havien previst, les porcions ridículament esquifides i el servei quasi humiliant, però tot això, ells s'ho prenen alegrement sense que els afecti el bon humor. Al contrari. La Nora està tan esvalotada que en Blériot té por que no es posi a cantar ella també.

Mentre mengen una copa de gelats, ella li explica una història que li va passar a Torquay, quan tenia setze anys i marxava de vacances a casa de la seva amiga Vicky Laumett: en aquella època, jo era més aviat lesbiana, li confessa de passada, en el seu francès sorprenent.

Tot i així, aquell dia l'havien passat sencer a la platja amb un noi —es deia Aaron— que després els havia proposat d'anar a dormir a la seva habitació. I com que eren curioses i ja una mica disbauxades, no s'ho havien pensat dues vegades i havien anat amb ell a casa seva.

S'havien despullat al lavabo, amb la premonició que s'esdevindria alguna cosa terriblement forta, terriblement impúdica, insisteix ella, i que res potser ja no seria com abans, com després d'una revolució.

I va ser una revolució?, no pot evitar preguntar-li ell.

Què és el contrari d'una revolució?

Un no-esdeveniment.

Exacte. En realitat, l'Aaron es va acoquinar a l'últim moment i els va proposar que es tornessin a vestir tranquil·lament i que ho deixessin allà, amb l'excusa que elles eren menors d'edat i ell no —al·lucinaven.

89

No hi podia haver pensat abans?, diu en Blériot, que ha pres partit a favor de les dues revolucionàries.

Per això, continua ella, per venjar-se de l'ofensa, totes dues van dormir al seu llit mentre ell passava la nit en una butaca, davant el televisor.

L'endemà no va dir ni una paraula, però la seva cara ho deia tot, diu la Nora tot imitant-la.

I la teva enamorada, pregunta en Blériot mentre paga el compte, encara la veus? Què se n'ha fet, d'ella?

S'ha casat a Londres amb un tipus impossible i ara viu en un pis de dos-cents metres quadrats, resumeix ella, amb una certa duresa a la veu que el desconcerta.

La reacció de la Nora podria fer pensar –però la hipòtesi val el que val– que, tot i la seva joventut esvalotada, no li manca ni judici ni sentit moral pel que fa als assumptes de l'amor.

Un cop fora, continuen l'excursió pel suburbi, fins que arriben molt a prop de la circumval·lació i es troben davant d'uns blocs de pisos, amb uns llargs carrers arrenglerats de manera exactament idèntica i gent morta d'avorriment a les finestres.

Aleshores fan mitja volta i decideixen agafar un taxi, que els deixa a la cruïlla de l'Odéon.

Gràcies al vent i a l'ombra, de cop i volta la calor es fa menys desagradable. Pugen pel bulevard sense presses, amb la Nora repenjada al seu braç com si fossin marit i muller, l'una caminant amb la boca oberta per empassar-se la felicitat, i l'altre –és ell, evidentment– amb la boca tancada per impedir que s'escapi.

Miren els cartells dels cinemes mentre parlen d'altres coses, van a una botiga, després a una altra, i tot els sembla senzill i fluid tal com hauria de ser la vida en parella. Compren coses inútils, regalets, bufandes, corbates, bijuteria, com si la dissipació els tornés més lleugers.

La Nora, inclús li regala una camisa de lli d'Hugo Boss,

amb la condició que li doni solemnement la paraula que cada cop que se la posarà, recordarà com n'ha sigut de feliç amb ella.

T'ho prometo, diu en Blériot, posa els llavis sobre la trama lluminosa del rostre per mossegar-li molt suaument el coll i les orelles, tan petites, sense que els vegi ningú, fins al punt que creuríem que una fina membrana estesa al seu voltant els torna invisibles.

Més tard, voregen les reixes del Luxembourg mentre mengen un altre gelat, senten en algun lloc la música de Blondie que surt d'un cotxe, i el dia comença a decaure.

Saben que se separaran. Ella ha d'anar a Roissy CDG i ell ha de tornar a casa abans que no ho faci la seva dona.

Bé, me n'he d'anar, diu en Blériot sense deixar de sostenir-li el braç, com si els seus sistemes simpàtics s'haguessin amalgamat tant que se l'anés a endur amb ell.

17

Mentre la Sabine li parla d'esquena maquillant-se davant el mirall, en Blériot, dins de la banyera, s'adona de sobte que ja s'ha rentat el cap dues vegades en el dia d'avui, i no sap si aquesta cura maníaca dispensada a la seva higiene té l'origen en un ritual purificador o en una alteració obsessiva.

Amb el cap dins l'aigua, percep de fons sonor la veu de la Sabine que li repeteix que s'afanyi perquè en François-Maurice els espera entre les nou i les deu.

Jo també hi estic convidat?, pregunta ell mentre continua xipollejant i fent gloc-gloc en l'aigua de la banyera.

Evidentment, tu també, diu la seva dona, que gairebé ja està a punt.

La seva primera reacció a la idea de passar la nit amb en François-Maurice i la seva colla és de negar-s'hi de seguida al·legant qualsevol cosa, la fatiga, que és tard, l'acumulació de feina d'aquests últims dies, però d'altra banda alguna cosa li diu que potser seria més prudent acceptar aquesta sortida en parella, tant per complaure la Sabine com per evitar un perillós cara a cara a casa.

Un cop eixut i ben afaitat, es posa la camisa nova i la corbata de cuir, abans de servir-se un martini a tall d'estimulant.

Ja estic llest, li anuncia dirigint-li amb desgana un somriure graciós. Unes restes de tendresa l'indueixen inclús a passar-li la mà per la cintura nua per sentir-li la pell fresca.

Louis, ja fem una hora tard, li assenyala ella, cosa que l'obliga a posar les seves grapes en un altra banda.

A continuació, condueixen tot seguit per París vorejant els marges del Sena, ella al volant i ell al seu costat, amb el braç fora de la finestra, mentre l'aire humit de la nit, les siluetes mòbils dels passejants, els edificis als molls, els núvols radioactius reflectits a la superfície de l'aigua, se li dipositen probablement en un indret secret del còrtex.

Ara hi ha tempestes gairebé cada nit, assenyala ell dirigint-se a la Sabine, per dir alguna cosa, mentre li mira furtivament els pits cenyits sota el vestit.

La seva dona no contesta res, té la mirada fixa davant seu com si l'eixugaparabrises l'hagués dibuixat Marcel Duchamp.

No t'agraden les tempestes?, li pregunta ell. Com que tampoc no contesta, acaba suposant que pensa en algú altre i que aquest algú altre, si la seva intuïció no l'enganya, podria ben bé ser el seu company Marco Duvalier, que l'havia d'acompanyar a Zuric.

Mentre es fiquen pels carrers plujosos de Charenton, en Blériot s'imagina que un vespre torna a casa seva, d'aquí a molt temps, com un esperit errant al seu propi pis, i es troba en Duvalier (el qual, segons les últimes notícies, encara està casat i és pare de tres nens) dormint al seu llit, al costat de la Sabine.

No es molesti, només passava per aquí, sent com li diu al seu substitut, que està buscant les seves ulleres damunt la tauleta de nit, i s'estranya, per la seva banda, de no sentir ni sofriment ni còlera, sinó més aviat una forma insidiosa d'assossec.

Què et fa riure?, li pregunta la seva dona, que no deixa de girar al voltant d'una illa de cases per trobar una plaça lliure.

No reia pas, protesta ell mentre es pentina de pressa davant el retrovisor.

Arriben a casa d'en François-Maurice refugiats sota el seu gran paraigua. Ella, sempre molt elegant amb el seu vestit obert gairebé fins al maluc, saluda tothom com si fos una estrella de cinema, mentre que ell, al darrere d'ella, deu fer pinta de guardaespatlles o d'assistent de producció, si més no de complement accessori.

També el podrien confondre, de tan indiferent com deixa la seva cara, amb un actor secundari a qui haurien concedit una sola i única rèplica: Bona nit, sóc el marit de la Sabine van Wouters. (Perquè ella ha conservat prudentment el seu cognom de soltera.)

El paper, no cal dir-ho, no és gaire gratificant, però es pot consolar pensant que entre els assistents n'hi ha que no diuen res de res i s'han d'acontentar amb una figuració més o menys intel·ligent al fons de l'habitació, sense merèixer ni una mica d'atenció.

Mentre la seva dona va de grup en grup amb aquella xerrameca, aquell dinamisme social segurament hereditari, en Blériot, que coneix les seves limitacions, només dirigeix la paraula a uns pocs convidats, si pot ser aïllats, perquè la seva escassa energia s'esgota tan bon punt s'ha d'interessar per més de tres o quatre persones a la vegada.

En concret, quan es tracta de persones de totes les edats i de totes les tendències sexuals i polítiques com aquest vespre. Hi ha neuràlgia garantida.

Quan veu el bufet a l'habitació del costat, en Blériot, que ja té una mica d'experiència, es desplaça de biaix adoptant un aire desimbolt, gairebé distret i somiador, abans d'accelerar als últims metres per apoderar-se d'una ampolla de xampany.

N'hi a per a mi, també?, li pregunta la veïna, que ha vist molt bé la seva maniobra.

Honest com és, en Blériot li n'ha emplenat una copa, i probablement tot s'hauria acabat aquí si alguna cosa viva i entremaliada a la mirada d'aquesta noia no li hagués despertat de sobte la curiositat, ja que li recorda algú.

Martina Basso, es presenta ella alhora que li allarga la mà.

Encantat, diu ell, sense creure's obligat a anunciar que és el marit de la Sabine van Wouters.

La seva bonica veïna resulta que és una traductora italiana –ha traduït novel·les de Calvino– que ha vingut a París a gaudir d'un any sabàtic.

En Blériot, que rejoveneix de manera ostensible, li serveix una segona copa de xampany i se l'emporta a l'habitació del fons per poder parlar en pau, però sense abandonar una actitud reservada i modesta.

Com que ha deixat de ploure i han obert les finestres, es passen una estona xerrant l'un al costat de l'altre, en la dolçor aèria de les onze de la nit, sentint com, de mica en mica, creix en ells una atracció mútua i un desig no menys mutu –naturalment és ell qui l'extrapola– de deixar allà plantats els altres convidats i marxar d'amagatotis.

Però no es mouen. Com si fos massa tard i l'esdeveniment ja hagués passat.

A la veu de la Martina, a l'animació dels seus ulls, en Blériot hi percep molt bé la satisfacció de parlar amb ell, el reconeixement per fer-li companyia, però cap invitació, cap senyal.

Encara es queden una estona junts, abocats a la finestra, mentre s'acaben l'ampolla de xampany i intercanvien algunes paraules en italià –perquè en una altra època ell va practicar l'italià–, després cadascú se'n va pel seu costat i torna als límits de la seva vida personal.

Mentre la seva dona manté una conversa molt animada amb una desena de convidats al seu voltant, en Blériot, sense saber què fer, s'ha posat a parlar amb la Sophie i en Bertrand de Lachaumey, de qui es diu que són milionaris, encara que al llit són una de les parelles més desvalgudes del món.

Quina hora és?, pregunta llavors la Sophie, amb un aire estranyament ansiós.

Gairebé dos quarts de dues, respon el marit amb veu de

rellotge parlant. S'endevina que pagarien una fortuna per no haver de tornar a casa.

Mentrestant —en Blériot ja va per la setena o vuitena copa de xampany–, l'arribada de la dona d'en François-Maurice, totalment torrada, ha creat mala maror entre els assistents, i amb l'aparició uns quants minuts més tard d'en Peter Nosh, el seu amant oficial, la mala maror s'ha multiplicat per dos.

Sembla una reunió de lapons en una situació compromesa.

Malauradament, en Blériot, afectat per una mena de vertigen etílic, ja no es recorda del que ve després.

Deu haver perdut altra vegada el món de vista dins el cotxe, perquè quan torna a obrir els ulls reconeix els llums de la plaça de la República i tot d'una se sent sobri. Més tard, es veu pujant amb dificultats una escala, tot mirant-li fixament les cames a la seva dona i provant mal que bé d'ordenar els seus pensaments.

Qui era la noia que abans parlava amb tu a la finestra?, diu la Sabine mentre es treu la roba amb gestos de somnàmbula; darrere d'ella, en Blériot, que té l'excusa de l'embriaguesa, li acaricia discretament les natges ben fredes. Una italiana, diu ell.

La coneixies? En absolut, contesta mentre els seus dits continuen recorrent-li el cos, sense que ella es queixi ni sembli que se'n vulgui desempallegar.

Aquesta docilitat, tan contrària al caràcter habitual de la seva dona, l'acaba de reanimar. Aleshores li agafa amb les mans els bonics pits pesants i punxeguts, com si jugués a metges, i li ordena que s'arquegi del tot, amb els braços recolzats al capçal del llit.

Però què fas, Louis?, protesta ella. Ja veuràs, contesta en Blériot sense deixar-se impressionar.

Encara una miqueta més inclinada, li demana ell, i la deixa en aquesta postura mentre ell també es despulla.

18

Són dos anys més joves, gairebé tres.

Estan tots dos asseguts a la vora de la piscina, al final d'un dia de primavera –deuen ser les cinc o les sis–. Mentre els altres neden, ells prenen tranquil·lament el sol en banyador i amb les cames en remull.

Encara no han dormit mai junts.

Però la Nora ja s'ha instal·lat a la seva vida com si fos a casa seva. Es veuen gairebé cada dia, cap a migdia –és la seva hora mitològica–, dinen després d'una passejada d'enamorats pel Jardin des Plantes, i tot seguit decideixen, segons el temps que faci, anar o bé al cinema o bé a la piscina.

No s'amaguen. Tenen la impressió de ser invisibles. La seva dona no sospita res, el company de la Nora sembla que tampoc, i com que la probabilitat de trobar-ne un dels dos pel carrer és infinitesimal, en principi no tenen cap motiu per estar amoïnats. A més, no fan mal a ningú.

Molt de temps després, quan faci desfilar per la seva memòria les imatges d'aquella primavera, en Blériot es quedarà sorprès, precisament, de no veure-hi enlloc la seva dona, com si hagués desaparegut en el muntatge.

La Nora se n'ha tornat a llegir *Tom Jones* sobre la tovallola, estenent els seus panxells pàl·lids al sol, i en Blériot neda tot sol, sempre al mateix ritme, sense separar-se ni treure els ulls de la línia que segueix.

A la quinzena piscina d'aquest entrenament monòton, es concedeix una pausa. Enfilat a l'escaleta de la piscina infantil, admira la seva lectora preferida i es torna a sorprendre de com ha pogut conservar després de tantes aventures aquesta expressió virginal d'espera, plena de paciència i de dolçor –la mateixa que es veu a la cara de certs personatges de pintura que posen amb un llibre i un rosari.

Encara que, en banyador, és bastant difícil fer-se una idea de la vida interior de les persones.

Quan per fi ha recuperat l'alè, en Blériot torna a solcar la superfície de l'aigua amb una elegància vigorosa, flanquejat per dues sirenes opulentes i per quatre noiets cofats amb gorres blanques, que els donen un aire de quadrigèmins.

Per fugir de les empentes, desapareix ben ràpid sota l'aigua i es proposa, malgrat el caràcter empipador de l'exercici, comptar les rajoles de la piscina. Fins que l'aigua comença a ser més freda.

Com un monstre marí sorgit de les profunditats, treu el seu braç immens per agafar-li els peus a la Nora i mira com riu mentre fuig, amb un desig sobtat d'estar sol amb ella.

A sobre la piscina –en Blériot ha tornat a pujar a la vora– el cel és serè i profund, amb petits núvols alts que fan córrer unes ombres per la superfície de l'aigua. Asseguts al trampolí, dos nois grassos tan tatuats com uns *yakuzes* sembla que contemplin el seu reflex a l'aigua, mentre unes parelles dormisquegen plàcidament, amb els cossos arrenglerats l'un al costat de l'altre com uns violoncels estesos sobre unes tovalloles.

Potser hi ha massa enamorats i no prou amor, declara de sobre en Blériot, en un cop d'inspiració filosòfica.

Què vols dir?, pregunta ella per sobre el llibre.

Exactament el que et dic, li respon mentre s'estira al seu costat i recolza el cap sobre el seu ventre.

Al seu voltant, la piscina s'ha començat a buidar i les grades estan gairebé silencioses. A la piscina, ja només se senten els crits intermitents d'uns quants banyistes que es continuen capbussant.

Amb els ulls tancats, com un gos estès al sol, en Blériot té la sensació, sentint-los saltar dins l'aigua, d'anar-se'n molt lluny i per sempre, com si sense voler hagués entrat en el reactor del temps.

Deu haver desconnectat durant uns quants minuts, perquè la Nora ja està a punt de marxar, amb la bossa a l'espatlla.

Crec que tancaran, hem de marxar, li diu mirant-lo amb els seus grans ulls pensatius i una mica amoïnats, perquè probablement espera que ell prengui una decisió.

En Blériot, que ara està del tot despert, s'imagina de quina decisió es tracta, però sembla que com més ineluctable és, més por li fa.

D'entrada, ell ha sigut sempre un noi poc decidit pel que fa a les dones, i després, com que la situació de cadascun dels dos és com és, té tota la raó d'estar espantat amb el que vindrà a continuació: la clandestinitat, les mentides, els ardits, les baixeses; és a dir, una vida reprovable.

Si bé en el passat ha comès algunes infidelitats, eren sobretot infidelitats interiors. Res que tingués conseqüències.

I al mateix temps, mentre tots dos caminen pel carrer, sospita que no pot continuar vacil·lant així durant mesos entre l'angoixa de la infidelitat i la depressió de la fidelitat, ja que en aquesta mena de situacions la normalitat no existeix.

En cas que vulguis acompanyar-me fins a casa, t'aviso d'entrada que l'Spencer hi és i que li hauràs de donar conversa, intervé ella en aquest instant, amb el seu humor imprevisible, entre seriós i divertit.

Prefereixes que anem a l'hotel?, pregunta aleshores en Blériot amb una veu apagada.

No ho sé. Sobretot preferiria que no hi anessis a contracor, diu agafant-lo pel coll i ajustant el seu jove cos al d'ell per demostrar-li que és ben bé una dona.

De totes maneres no tenim elecció, assenyala ell.

Si vols, podem fer-ho així, diu ella. Però abans posa dues condicions.

La primera és que ella ha d'haver tornat a casa a les deu, a dos quarts d'onze a tot estirar, i la condició supererogatòria és que no la pot portar a qualsevol lloc. En concret, no la pot portar a una casa de cites.

Tampoc no era la meva intenció, la tranquil·litza ell tot buscant un taxi amb la mirada.

Com de comú acord, al cotxe no diuen res més, cadascú va tranquil·lament assegut al seu racó, fins que el taxi els deixa en un carrer apartat, a unes quantes passes del cementiri de Montmartre.

Espero que sàpigues el que fas i que no et penediràs de res, diu ella de cop i volta girant-se cap a ell.

Per descomptat. No em penediré de res i tampoc no oblidaré res, li promet ell mirant com puja les escales de l'hotel amb unes ulleres de sol.

Amb el seu metre seixanta o seixanta-u, fa una impressió de lleugeresa, d'infància inacabada, que alhora el commou i el desconcerta, com si li fes por que el personal de l'hotel no s'imaginés coses.

Entren al vestíbul, sense ni una maleteta per despistar, i es dirigeixen decidits cap a la recepció.

És, sense cap mena de dubte, un hotel de luxe, amb un saló tan gran com una sala de cinema, unes butaques fondes, uns miralls immensos, unes parets empaperades de vellut vermell.

Almenys, no podrà dir que ell fa les coses a mitges.

Mentre esperen a la recepció, dos empleats enganxats al telèfon no acaben de comprovar si efectivament l'habitació 57 ha quedat lliure aquest matí.

Cada cop que truquem, no hi ha mai ningú, s'excusa el més gran dels dos, que parla com a *La cantatriu calba*.

Hi ha d'haver algú, diu l'altre, i finalment els allarga la clau de la 59. L'esmorzar se serveix a partir de les set.

Ells no responen res.

Ara els daus estan llançats. Tornen a travessar el vestíbul d'entrada i el gran saló vermell, amb aquell posat lleuger que tenen les persones en pau amb elles mateixes.

Saps què?, diu la Nora mentre crida l'ascensor, és tot al contrari.

Al contrari de què?, pregunta ell.

D'allò que deies abans a la piscina. Hi ha massa amor i no hi ha prou enamorats. Per tant, sempre en sobra una mica.

No és fals, però et suggereixo que hi reflexionem després, diu en Blériot empenyent-la dins l'ascensor.

19

És molt probable que si hagués sabut que un dia hauria de sortir tota nua en una novel·la, la Nora s'hauria negat a despullar-se. I hauria fet tot el possible perquè abans s'esmentés la seva afició pel teatre de Txèkhov o per la pintura de Bonnard.

Però no ho sabia. Per tant, està tota nua, amb les natges altes, els pits menuts, el sexe depilat i els peus una mica grans, com si encara no hagués acabat de créixer.

A propòsit d'això, li declara ella, fa temps va conèixer, a Coventry, un fotògraf que gairebé la doblava en edat i que s'havia encapritxat de les seves cames.

Et prometo que no m'invento res, li diu ella, amb les cames estirades de través damunt les seves. Almenys espero que em creguis.

És clar que et crec, diu en Blériot alçant-se sobre els colzes per admirar-les millor.

En aquest instant, estan tots dos despullats i tranquils al llit, embolcallats en l'atmosfera fresca de l'habitació, i com que el plaer els ha cruixit i encara tenen una mica de temps per davant, gandulegen entre els llençols mentre el ritme embalat del seu cor disminueix de mica en mica.

En realitat, tenen massa mandra per tornar-se a vestir i sortir de l'hotel.

A penes tenen el coratge d'aixecar-se per anar per torns al minibar a buscar unes ampolletes de vodka, que beuen, a glopets, barrejades amb Pepsi.

Per tant, el seu fotògraf, continua ella quan torna a seure al llit, la va dur un cop a Suïssa amb l'excusa de fer-li un *press-book* i es van quedar pràcticament una setmana en una espècie de motel, després en un hotel amb molt menys encant que aquest.

Al principi, s'havia dit que seria una vida perfecta, sense pares, sense preocupacions, sense feina a casa, i que seria una tonteria per part seva no aprofitar-ho.

Oficialment, se n'anava a practicar esports d'hivern amb la seva amiga Vicky i els seus avis, i cada vespre telefonava sens falta a la mare per explicar-li els progressos que feia esquiant i les nates que es fumia la Vicky.

Quan en realitat no sortíeu de l'habitació, la interromp ell tot pessigant-li les cuixes.

No és en absolut el que creus, li assegura ella. Aquell individu era un boig perillós que es punxava tan bon punt sortia del llit i després es bevia tot el que trobava. Quan havia acabat la sessió de fotos —li deixa imaginar-se les fotos— desapareixia sense donar explicacions i ella passava la resta del dia esperant-lo com una segrestada.

Tenia la impressió d'estar perduda en un hotel buit al fons d'una vall sinistra.

Hi devia haver clients, en aquell hotel, diu en Blériot tornant-se a servir al minibar.

No ho sé, diu ella. En tot cas, eren tan discrets que no els vèiem mai. De vegades sentíem l'espetec d'una porta o el soroll d'una dutxa imaginària. I més o menys era tot.

Un dia, vaig plorar tant que algú va donar dos o tres cops a l'envà, però no vaig gosar contestar.

El més increïble en aquesta història és que ja l'havien avisat i que el seu subornador era conegut a tots els instituts de Coventry. Però sembla que com més mala fama tenia, més se li tiraven a sobre les noies.

És la síndrome de Barbablava, assenyala en Blériot. Saps, Neville, penso que hauries d'escriure la teva vida.

Tindria la impressió de fer trampes. Són els tramposos els qui escriuen la seva vida. Ets una noia realment estranya, continua ell després d'un moment de silenci, mentre li acaricia els mugrons foscos dels pits menuts.

Recordes que no passem la nit aquí?, li diu ella de cop i volta aixecant-se per recollir les seves coses de la catifa.

A fora, el dia no acaba de caure. En Blériot s'ha assegut al cantell del llit per fumar i se la mira com va i ve per l'habitació provant d'adoptar en aquest moment concret un punt de vista exterior, totalment desprès, com si ell fos una vaga entitat celestial i ella una dona jove solitària caminant tota nua a la penombra d'una gran casa buida.

Una dona jove anònima i feliç.

Ets feliç?, li pregunta apujant la veu perquè ella ha anat al lavabo.

Molt, però m'agradaria que t'afanyessis una mica, li crida des de la dutxa. Són les nou tocades.

En Blériot no s'ha mogut. Prova de retenir-ho tot tancant els ulls, igual com s'aprèn una lliçó de memòria: el frec a frec de les cortines, la remor del carrer, les esquitxades de la dutxa, el soroll de la ventilació, el ressò de la seva veu –Louis, estàs llest?

Quan torna a obrir els ulls, la Nora és davant seu, una mica a contrallum, vestida amb calces i samarreta.

En veure-ho, com si encara tingués l'edat en què totes les calces són fetes amb la tela dels somnis, en Blériot sent que les seves connexions nervioses tornen a estar excitades.

Què diries si et despullés altre cop?, li pregunta ell saltant del llit per atrapar-la.

Creu que està somiant.

Són gairebé les deu, protesta ella mentre prova de desempallegar-se'n. L'Spencer l'espera des de fa almenys dues hores a casa, s'ha de canviar per anar a una festa, i tot el que se li acut proposar-li és tornar-se a ficar al llit.

En comptes de baixar a la recepció i demanar un taxi.

Durant un segon, el nom de l'Spencer l'ha aturat en el seu impuls. És el segon cop que pronuncia el seu nom des que han marxat de la piscina. I això que tenen com a manament no esmentar mai el nom del seu cònjuge.

Però per aquest cop, en Blériot prefereix fer veure que no ha sentit res.

A més, fa calor i estic cansada, li diu fent veure que es posa els pantalons.

Jo em sento com un nuvi, respon amb el cos premut contra el d'ella, i la seva orella experta sent clarament el lleuger panteixar i el petit espasme de la seva glotis.

Només una última vegada, insisteix ell.

Però llavors, molt ràpid, finalment ella es decideix i es deixa despullar, braços enlaire, com si es tractés d'un atracament.

Darrere les cortines, ja és de nit. Han agafat més begudes del minibar i de seguida s'han tornat a estirar al llit.

Quan la Nora queda instal·lada a sobre seu, ell li sent la palpitació dels músculs del ventre, i es redreça una mica damunt les mans per llepar-li sobre la pell els petits reguerons de suor que li baixen pel coll i les espatlles com una pluja primaveral.

Dos anys més tard, encara està assedegat.

20

Després d'haver comprovat la situació del mercat, en Murphy Blomdale s'ha posat a treballar, i de tant en tant va llançant a través del vidre de l'envà un cop d'ull perplex a la veïna de la dreta, una dona jove pàl·lida i manyosa que es diu Kate Mellow.

Més rigorista que ningú, cada matí arriba al despatx a les set en punt i no en marxa fins que no n'apaguen els llums. Presumeix inclús de llevar-se a la nit per no perdre's l'obertura dels primers mercats asiàtics.

En general, en aquestes ocasions, en Murphy no sap mai què contestar-li.

La ironia del destí, el qual es delita amb aquests efectes de duplicació al·lucinant, vol que tots dos tinguin la mateixa edat, que tots dos vinguin dels Estats Units, que facin la mateixa feina l'un al costat de l'altre des de fa setmanes i que l'un i l'altre siguin solters i els assenyalin amb el dit els companys de l'agència.

Ja els han casat deu vegades.

La Kate Mellow, que es defineix a ella mateixa com una nena gran senzilla i plena d'humor, de vegades l'acompanya a la cafeteria, on li recita els editorials del *Financial Times* i les xafarderies de la City, abans de marxar amb una mena de rialla preenregistrada que personalment més aviat el molesta, però que sembla divertir els altres.

Aquells dels seus companys, com en Max Barney, que encara tenen un mínim d'afecte per ell i que al matí el veuen assegut a la barra amb la seva xicota virginal i una mica insòlita al costat, comencen a témer seriosament que un dia no s'aconseguei-xi casar amb ell. Vés amb compte, amic meu, ja l'ha avisat en Max Barney, aquesta stajanovista lúbrica t'acabarà entabanant.

De cap de les maneres, es defensa cada vegada en Murphy, que tampoc no pot publicar un desmentit ni enganxar un car-tell al vestíbul de l'entrada.

Què fas aquest estiu?, li pregunta ella dins l'ascensor.

No he decidit res. Espero a veure com es presentaran els es-deveniments a l'agència, contesta ell, a la defensiva.

La cafeteria ja és plena. A partir de les deu, el personal in-tensifica les reunions informals al voltant de la màquina de cafè com si fos una centrifugadora libidinal, i els riures, els crits, els timbres dels mòbils formen un xivarri tan gran que en Murphy ha estat a punt de no sentir sonar el seu.

Sóc jo, diu una veu poc decidida, em sents?

Et sento, diu ell avisant la Kate Mellow que se'n pot anar.

Se n'ha anat a la sala del costat per tancar-s'hi i, i durant un instant, mentre fa lloc a una taula i deixa el seu got de cafè, pensa que s'havia equivocat. Ja no sent res.

Nora, Nora, ets aquí?, repeteix amb la impressió de palpar en la foscor.

Sóc aquí, respon ella com si això la divertís.

Només et volia dir que ahir al vespre et vaig enviar un xec de mil dòlars. Sé que te'n dec molts més, però de moment, francament, no hi puc fer més. Tot just acabo de trobar feina.

Però si no em deus res, s'exclama ell, tot observant els dos canvistes Mike i Peter que se'l miren darrere el vidre amb ulls de guineus dissecades.

No m'acabo de creure que em truquis per això, continua ell alhora que els gira l'esquena.

També tenia ganes de sentir-te la veu, afegeix ella amable-ment. De vegades, veient passar el temps, em dic que el dia que torni a Londres tu potser ja no hi seràs i que ni tan sols em podré trobar amb tu, perquè m'hauràs oblidat.

Està a punt de respondre-li que no es pot tenir tot i que no es pot estar a la vegada present i absent, ser fidel i infidel. Per tant, en bona lògica, no pot tornar-li la llibertat, com ha fet deixant-lo, i, alhora, demanar-li que continuï sent el seu presoner.

Però no pot. Té molta por d'acabar sent lliure i desgraciat si ella se'l pren al peu de la lletra.

En realitat, saps què?, li diu ella, tinc la impressió que vius molt bé sense mi i que proves tant sí com no de demostrar-te el contrari.

Però no em vull demostrar res de res, diu en Murphy en el moment en què la senyoreta Anderson, amb el pit inflat i el nariu tremolós, irromp de sobte a l'habitació.

Reunió d'aquí a deu minuts, li deixa anar abans de marxar fent petar la porta.

Nora, torna'm a trucar aviat, xiuxiueja al telèfon. Però deu haver penjat, perquè ja no sent res.

Mentre els altres s'afanyen cap a la sala de reunions, ell encara es queda una estona bevent-se el cafè, tot observant per les escletxes de la persiana les passejants àgils i els cotxes que centellegen al sol del matí, pres de sobte per un sentiment de nostàlgia –però una nostàlgia elevada a la desena potència.

En comptes de continuar compadint-se d'ell mateix –a la seva edat, tenim els amors que ens mereixem–, en Murphy decideix aprofitar la vida i saltar-se la reunió sobre els fons especulatius, però s'hi repensa en veure la senyoreta Anderson guaitant-lo, amb els braços plegats sobre el pit.

S'asseu, doncs, al fons de tot de la sala, ben a prop de la sortida, i quan hi ha via lliure, quan tothom tanca els ulls a causa de la veu magnètica d'en Borowitz, obre la porta discretament i fuig de puntetes cap als ascensors.

Un cop al carrer, s'atura un moment a l'altura de Cheapside, amb el cos sacsejat pel vent i els ulls mirant al cel, aspirat pels núvols mòbils com si els peus se li anessin a enlairar de cop i volta de la vorera.

Després, com que no té cap projecte concret, es deixa portar per la gentada cap a Moorgate i Saint Mary Moorfields, on decideix entrar.

En la penombra i la frescor sepulcral de l'església, en Murphy, que creu en la comunió dels sants i en l'eficàcia de la seva intercessió, es decideix a entonar una llarga pregària assegut al banc, abans de fer examen de consciència i abandonar-se a desgrat seu a unes quantes reflexions desesperançadores, referides tant al comportament indecís de la Nora com a la seva pròpia indecisió.

Al final, mentre reflexiona així, absorbit en els seus pensaments, i els sorolls del carrer continuen entrant amb intermitències per les portes laterals, sent com un gran silenci va caient al fons d'ell mateix.

Segurament és el que havia vingut a buscar.

A fora, els jubilats, els aturats, els inadaptats, tots els marginats del miracle econòmic, seuen arrenglerats sota el sol a les cadires del jardí, com les últimes baules d'una cadena alimentària.

En Murphy, en veure'ls, es posa altra vegada a somiar el dia en què portarà una vida exemplar, una vida anònima i obscura, tota sencera dedicada a la causa dels altres –encara que, amb la millor voluntat del món, no sap per on començar.

Més tard, en sentir tocar les tres, de cop i volta té una mena de tremolor solitari amb la idea que la Nora està caminant al mateix moment pels carrers de París.

Més tard, torna sobre els seus passos cap a la City per anar a l'oficina –donarà com a excusa una visita al metge–, i just quan demana un sandvitx en una terrassa davant de Temple, a l'angle esquerre del seu camp de visió apareix un gos tan vell com Matusalem.

Un gos escanyolit i borni, que sembla la conjunció de dos gossos en un, amb un cap de teckel i un darrere de caniche, i que se li acosta ben espantat, com acomplexat pel seu físic.

Però en Murphy no busca cap gos i hi ha poques probabilitats que la bèstia desconeguda el busqui a ell.

Malgrat tot, en un rampell de compassió, li allarga un tros de pa, que l'altre fa desaparèixer tan de pressa com si en una vida anterior hagués sigut prestidigitador.

Amb dos cops de llengua, s'ha empassat tot el sandvitx.

Tot seguit, l'animal agraït es queda amb el cap tranquillament recolzat sobre els seus genolls, fins que, commogut amb tanta perseverança, en Murphy agafa el seu vell cos panteixant entre els braços i, sense fer cas de la mirada dels vianants, se li posa a parlar tot seriós a l'orella, per fer-li entendre que ara ha de tornar a la feina i que per tant hauria de pensar a trobar un altre benefactor.

M'entens?, li diu ell.

L'animal, indecís, se'l continua mirant amb uns ullots velats per les cataractes, mentre en Murphy té l'estranya impressió en estrènyer-lo contra ell de ser molt més vell que fa un instant.

I com més l'estreny, més vell se sent.

Com si per un fenomen de simpatia els seus dos temps s'haguessin unit i ara haguessin d'envellir junts.

21

Tots dos beuen vi blanc a la cuina. Deu ser molt tard, la una o les dues. La Nora, que porta camisa de dormir, es gronxa asseguda en una cadira amb els peus damunt la taula –se li veuen totes les cuixes–, mentre ell seu al cantell de la finestra perquè li agrada molt el soroll de la pluja al jardí.

Des de fa una estona, ella li parla del seu nou curs de teatre, a prop de Trocadéro, i dels papers que somia interpretar un dia, com el de la noia Violaine o el de Nina a *La gavina*.

No he vist mai *La gavina*, ni *La noia Violaine*, li confessa ell.

Almenys les podries haver llegit. Alguna cosa deus llegir.

Em passo la vida llegint i traduint literatura mèdica. Així que, a banda d'això, aquest any només dec haver llegit una novel·la de ciència-ficció, dues novel·les policíaques, les memòries de Churchill, i, seguint les recomanacions d'un amic, he començat a llegir els *Assajos de teodicea* de Leibniz. Crec que més o menys és tot.

Tens unes lectures ben curioses. Un dia et llegiré *La gavina*, si vols.

Les actrius que interpreten la Nina Zeretchaïna, li explica ella, s'inspiren la majoria de vegades en altres Nines que han vist al teatre o bé en persones que s'han pogut trobar aquí o allà, i de qui imiten la manera de parlar o de caminar. Per aquest motiu, el resultat és gairebé sempre decebedor. Perquè ja coneixem la Nina.

A ella li agradaria interpretar una noia que encara no existeix.

Ho entens?

Ho entén i no ho entén. En tot cas, està impressionat amb la idea d'estimar una noia que encara no existeix.

I al mateix temps, sent alguna cosa empipadora, una mica inquietant, per com parla de teatre, amb aquella veu exaltada que tenen els visionaris quan es posen a predicar la Veritat.

Però això, s'ho guarda per a ell.

Crec que hi ha algú davant de casa, li diu ella tot d'un plegat, aixecant-se amb el got a la mà.

Vols dir?, diu ell, girant-se per donar un cop d'ull al carrer.

Apaguen el llum com uns lladres quan passa la policia i es mantenen a l'aguait en la foscor, ell sota el marc de la finestra, la Nora amagada darrere la seva esquena —en Blériot li sent la punta dels pits a través de la tela de la camisa.

Tinc la impressió d'haver-lo vist algun cop, diu ell, en reconèixer sota la claror de la lluna imprecisa la silueta del barret. La semblança amb en Léonard Tannenbaum el torna a sorprendre.

Per sortir de dubtes, marca discretament el número d'aquest al mòbil i hi troba un contestador.

A fora, ja no hi ha ningú. Després d'haver tancat la finestra, tornen a pujar a l'habitació i posen l'ampolla de vi a refredar.

Exageres. No puc amb la meva ànima, es queixa ella seguint-lo a l'escala.

Dos anys, li recorda ell tot aixecant-li la camisa de dormir.

Al moment de deixar-la davant el portal del jardí, en Blériot s'ha inclinat per provar d'atrapar-li els llavis en la foscor, i la Nora ha fet un pas de costat tot esclafint a riure.

La segona vegada, ha tornat a fallar.

Val més provar de besar un núvol.

A continuació, camina sota el paraigua fins a la porta dels Lilas, i es va girant a intervals regulars per comprovar que no el segueixen. Els carrers estan totalment buits. En algun lloc, el vent de pluja fa tremolar els arbres d'un jardí invisible.

Un cop s'ha ficat pel carrer de Belleville, telefona per precaució a la Nora. Ja està mig adormida.

M'estimes?, diu ella.

Ell se sent tot d'una alleujat, amb ganes de saltar amb els peus junts per les cunetes.

Un cop és a casa –la seva dona ha marxat a Marsella–, a en Blériot, que s'acaba de despullar, li ve un vertigen de cansament, seguit d'una aniquilació instantània de les seves facultats, com si l'hagués fulminat un somnífer miraculós.

Somia que és en una sala de concerts amb la seva dona –la sala entapissada de vermell li recorda la de l'Omlypia– i que al moment de l'entreacte és agredit per un ros baixet de cara ossuda i veu aguda que tot d'una prova de torçar-li el braç.

És el cosí de la Marie-Odile, li diu tranquil·lament la seva dona, com si fos una explicació.

Aprofitant la seva sorpresa, l'altre l'empeny amb totes les forces cap a l'escala, amb el perill de fer-lo caure, de manera que ell també l'empeny i acaben rodolant un pis sencer.

Al peu de l'escala, algú els separa. Tots dos es tornen a arreglar i s'estrenyen la mà com uns senyors.

El que el sorprèn en aquest instant –perquè es troba a la vegada a baix de l'escala i a dins de la cabina de projecció del seu somni–, és que des de fa uns quants segons la cara entristida d'en Léonard ha substituït la del seu agressor.

Però no tenen cap relació entre ells, reflexiona ell dins la seva cabina.

Algunes imatges més endavant, torna a ser a la llotja com si no hagués passat res –deu ser en ple somni paradoxal–, assegut al costat del rosset, que tot d'una sembla que torna a estar de bon humor.

Sap molt bé que en principi hauria d'estar assegut al costat de la seva dona –al somni, n'està desesperadament enamorat–, però se sent massa extenuat per demanar explicacions.

Ben aviat és el torn d'en Claude-François, l'avisa l'altre tocant-li el genoll.

Però no és mort?, se sobresalta en Blériot. I llavors es desperta.

L'endemà al matí, un cop dutxat i vestit, es continua preguntant què feia en Léonard en aquesta història.

Com que no troba cap taxi, camina fins al parc de les Buttes-Chaumont i s'atura de tant en tant per aspirar l'aire fresc del carrer i mentalitzar-se que ha d'afrontar un noi que no té fama de ser un interlocutor fàcil.

Sóc jo, en Blériot, es presenta després d'haver picat el botó de l'intèrfon.

Silenci.

Blériot, reiet meu, si no et sap greu, preferiria que ens veiéssim un altre dia, diu per fi una veu afeblida, que li costa reconèixer. No estic gens presentable.

Necessito veure't sigui com sigui. És molt important, insisteix.

Al final sent el soroll d'un impuls elèctric i estira el pom de la porta d'entrada.

Quatre pisos més amunt, en Léonard Tannenbaum és davant seu amb bata d'estar per casa, lívid, malmès, intimidador com una muntanya de tristesa que li tapa el dia.

Té la comissura dels llavis partida, l'ull esquerre mig tancat, amb una tireta translúcida sobre les celles que subratlla un arc rebentat.

Què ha passat?, pregunta en Blériot, que té la impressió de ser en un somni en expansió permanent.

Ha passat el que havia de passar, diu en Léonard fent un esforç per vocalitzar: en Rachid va marxar ahir a la nit.

Tornava de casa la seva filla –perquè en Rachid ha estat casat, en una vida anterior–; va tenir una crisi, una mena de rapte emotiu o de descomposició psíquica, i es va posar a trencar-ho tot al pis.

Per la seva banda, diu ell amb una angoixa retrospectiva a la veu, només recorda que en un moment donat va provar d'aturar-lo al menjador per suplicar-li de ser raonable i que tot d'una en Rachid va brandar els punys i se li va tirar a sobre cridant.

Després, la foscor absoluta.

No es va quedar curt, assenyala en Blériot mentre li examina l'ull injectat.

Al mateix temps, diu en Léonard –que ha retrobat una mica de la seva eloqüència–, segurament he rebut el que em mereixia i el que ens mereixem tots, tants com siguem, quan no sabem estimar aquells qui ens estimen.

Perquè en Rachid se l'estimava, diu ell, i la justícia providencial, després d'haver-lo elevat al cim d'aquella felicitat inesperada, l'ha fet caure a baix de tot. Que així sigui.

Ni tan sols t'he preguntat el motiu de la teva visita, diu ell després, seient a la butaca amb la dignitat d'un monarca senil i girant-se de perfil per amagar el seu enorme ull de vellut.

Té una mica de sang seca a la barbeta.

En veure'l en aquest estat, en Blériot, que es recorda de la silueta del barret, de sobte s'avergonyeix de les seves sospites.

Torno a tenir problemes de diners, s'excusa –sabent que no deixarà de creure'l–, ja no en tinc ni cinc, el banc m'ha bloquejat els comptes i la meva dona ha marxat a Marsella.

Blériot, maco, ets un amic incorregible i una mica massa venal, diu en Léonard, que malgrat tot anirà a buscar tres bitllets de cent dins la seva capseta.

Vols que anem a dinar junts a algun lloc?, li pregunta mentre obre una ampolla de vouvray.

Estàs segur que tens ganes de sortir?, s'amoïna en Blériot.

Realment trobes que estic tan horrible?

Un quart d'hora més tard, tots dos caminen pels passejos de les Buttes-Chaumont –l'un recolzant-se en l'altre– amb les seves grosses ulleres negres i els seus vestits d'enterramorts a l'estil dels Blues Brothers.

Al final, s'haurà quedat una mica més de tres anys, diu l'un. Es increïble com passa el temps.

Sí, potser és per això que no tenim temps de conèixer-nos, diu l'altre.

22

Aquest dia, en Louis Blériot-Ringuet mira el mar. Està assegut en una gandula, amb els pantalons arremangats fins a mig panxell, mentre la seva dona, estirada de bocaterrosa, llegeix una biografia de Picabia. Un gran sol de fi de tardor vessa la seva llum encara calenta sobre la platja. Al costat d'ells, una família d'alemanys refugiada sota un gran para-sol de ratlles juga mandrosament a les cartes, hipnotitzada per la calor.

Se sent una cançó dels Smashing Pumpkins que porta el vent. A la llunyania, els banyistes bellugadissos són com simples núvols de partícules sobre l'aigua.

En Blériot, abocat a la seva activitat de contemplador, ha fet un quart de volta sobre la gandula i s'ha abaixat les ulleres de sol per observar un instant una de les seves veïnes, fascinat pel relleu dels seus pits sota el banyador blanc, com si estigués sota l'efecte d'una visió estereoscòpica.

L'Emma és amb el seu germà a casa dels avis, diu ella per telèfon. Els encanta tenir-los de vacances. Després, és son pare qui se'n farà càrrec.

Sense saber per què, en Blériot té la impressió d'haver sentit aquesta història cent vegades.

Ha desviat la mirada cap a la pèrgola de l'hotel que hi ha a la platja, on unes banderes americanes i japoneses pengen indolentment al pal.

Encara que la tarda tot just acaba de començar, cinc o sis navegants amb els cabells blancs i el cos untat d'oli beuen uns còctels al bar de la piscina com si celebressin la seva immortalitat.

Saps, continua la veïna, ara en Sylvain fa la seva vida. Comparteix pis amb un company de feina, en Fontana. Te'n recordes, d'ell? No, en Fontana és aquell que sempre porta uns pantalons massa curts i que parla amb una veueta com la d'en Jiminy Criquet. T'asseguro que val la pena veure'ls junts, diu ella, mentre s'examina les ungles del peu.

En Blériot es torna a tombar uns quants graus. La seva dona s'ha adormit, amb una galta sobre el llibre.

Me n'he d'anar, li diu ell a l'orella. Si vols, et vinc a buscar més tard.

Mmmm, fa la seva dona.

Doncs quedem a les sis, al final de la cornisa, afegeix colpejant-se els mocassins l'un contra l'altre per treure'n la sorra.

Un cop ha arribat al bulevard –compra unes cigarretes–, la remor de la platja s'apaga tot d'una com si els dos batents d'una porta s'haguessin tancat darrere d'ell. No li queda més que el silenci i el baf de la calor.

Després travessa uns barris buits, uns carrers asfixiants passats per un llançaflames, i s'esforça a avançar per la banda d'ombra arran de les parets. Sent que ja té les cames xopes de suor.

Al fons d'un pati amb un enllosat negre i blanc tancat per una reixa, dos vells amb samarreta seuen quiets al voltant d'una taula plegable, com dues ombres retallades a la tela de l'estiu.

Més lluny, a les immediacions d'un hipòdrom, uns estols de gavines criden a les tribunes buides.

L'hotel on s'allotja és un gran edifici blanc de set o vuit pisos, amb unes galeries obertes adossades a la façana que li recorden la fotografia d'un edifici colonial. A l'interior, el vestíbul i els passadissos semblen estranyament silenciosos i inanimats, com si una nuvolada ardent hagués entrat per les finestres i ho hagués consumit tot.

Un cop a l'habitació, en Blériot mira un moment com passen uns trens darrere les persianes de la galeria, abans de decidir-se a prendre una dutxa i dedicar-se a la traducció sobre l'activitat dels neurotransmissors.

Es queda així una part de la tarda, assegut en calçotets davant l'ordinador; després truca a la Nora.

Encara té el mòbil apagat. Si no s'equivoca amb els càlculs, és la cinquena o sisena vegada des d'abans-d'ahir que prova de contactar amb ella. I cada cop, sent el mateix petit dolor, amagat al fons de tot de la seva consciència, que gira en espiral.

Per distreure-se'n, torna a mirar els trens, que avancen en paral·lel a la línia d'horitzó mentre el sol comença a decréixer sobre el mar. L'estació tota rosa, intercalada entre uns blocs de pisos, té un aire tan minúscul i improbable com una estació del Monopoly sobrevolada per uns núvols.

Una mica abans de les sis –ha traduït dues-centes cinquanta paraules–, en Blériot surt de l'hotel, amb la jaqueta al vent i els auriculars posats, i baixa el gran pendent que duu a la platja a la velocitat d'un corrent d'aire.

Al llarg del bulevard, una llum groga s'estén en aquest instant entre les palmeres del parc, i unes merles al·lucinades saltironegen sobre els parterres.

S'atura un segon per trucar a la Nora –com si ella s'interessés pel comportament de les merles–, després penja un cop més i se'n va a pas lleuger cap a la cornisa.

Davant la Sabine, mostra un aire desimbolt i una indolència estudiada, pensats per tranquil·litzar-la –encara que interiorment ja es troba entre l'espasa i la paret–, i tots dos, agafats de la mà com qualsevol parella de turistes, se'n van sense presses a buscar una terrassa a l'ombra. Tenen tot el temps del món.

No tenen fills.

No havíem anat junts a un hotel des de feia almenys dos o tres anys, observa ell mentre demana uns martinis.

Et vaig proposar d'acompanyar-me a Milà i un cop més vas trobar la manera d'escapolir-te, li contesta amb els ulls emmascarats pels vidres foscos.

De vegades, a causa d'aquesta mirada amagada, en Blériot no pot evitar preguntar-se què pensa realment sobre l'estat de la seva parella. Suposant, és clar, que les seves múltiples activitats, tant mundanes com professionals, li deixin prou temps per a la introspecció.

També m'hauries pogut acompanyar a Marsella, afegeix ella. M'hauria agradat molt.

Mentre li parla de l'estada a Marsella i de la proposta que li va fer un tal Jean-Claude Damiani de treballar amb ella a l'exposició de Titus-Carmel, en Blériot, sense deixar d'escoltar-la, se sorprèn en certs moments envejant la soledat del veí de davant, que llegeix un diari hípic i rosega unes nous d'anacard.

Perquè fins aquí ha arribat.

Està tan reclòs en la seva angoixa com en Tannenbaum.

Per no espatllar la vetllada i resistir-se a aquest encadenament d'idees negres –de les quals coneix massa bé l'origen–, proposa a la Sabine de sopar aviat en un restaurant del port i després anar o bé al cinema a veure una comèdia italiana, o bé al casino.

Tu esculls, respon ella, sens dubte perquè és feliç simplement de passejar amb ell tot xerrant, mentre el sol no s'acaba de pondre al passeig dels Anglesos i ja se sent pels carrers transversals la fresca de finals d'estiu.

El dolor que causem, recorda ell de cop i volta, és la gran qüestió de la vida.

Però com ho podem fer d'una altra manera?

En aquest instant, encara no ha pres cap decisió.

Davant el cinema, la Sabine està comprovant els horaris de les sessions quan en Blériot, pres per una inspiració sobtada, fa un pas enrere, després dos, després tres, va desapareixent de mica en mica en la penombra, abans de tombar a la cantonada d'un edifici i de fer-se fonedís amb les mans a la butxaca.

Un cop llançat, tot es torna clar i simple. La vida s'assembla a un billar.

Agafa un autobús, en baixa una mica a l'atzar, després es fica pel primer carrer ascendent que troba, tot seguit s'enfila per una escala inacabable fins a una placeta il·luminada, amb uns bancs, on recupera l'alè. Ha apagat el mòbil.

Sense prendre's la molèstia d'aturar-se ni de reflexionar una mica més, agafa un pendent que puja entre uns jardins en terrasses i es troba en la foscor absoluta, uns deu metres més amunt, travessant uns matolls espinosos que s'obren i es tanquen sota els seus passos.

De tant en tant, té la impressió de sentir cridar el seu nom darrere d'ell i s'afanya a escalar el turó agafant-se a les pedres com empès per una vitalitat animal.

Va a parar a una mena de promontori exposat al vent, des d'on de cop i volta veu els llums de la costa que s'estenen fins a l'aeroport de Niça.

A sobre el seu cap, uns filaments molt clars no cessen de travessar el cel com una pluja de meteorits. Aleshores, en Blériot –o l'entitat que ha adoptat el nom de Blériot– comença a córrer i a batre els braços per atrapar-los.

Aquest cop, ha passat a l'altre costat del mirall.

Al seu voltant, el carrisqueig dels insectes amagats als arbustos augmenta i disminueix a ratxes al mateix ritme que la seva excitació.

Molt més tard, quan davalla de biaix el vessant del turó, la vista d'una parella d'adolescents asseguts a la gespa el desembriaga de cop i volta.

Ja no sap quant de temps ha durat la seva absència.

Reapareix a la llum a dalt de l'escala que porta a la placeta, amb els bancs sota els til·lers, i s'afanya a tornar a encendre el mòbil.

Abans, m'he perdut una mica, s'excusa ell, esforçant-se a dominar la seva respiració i a parlar de la manera més natural possible.

La Sabine no diu res. Però sap que no perd res per esperar.

A tres quarts de dotze, la troba a baix de l'escala.

Encara tenim temps d'anar al casino, bromeja ell saltant els últims esglaons com si tornés de fer exercici.

Louis, em fas por, diu ella, sense mirar-lo.

23

El sisè dia tornen a París en avió. Als carrers, el vent és humit i els arbres estan coberts de gris. Hi ha amargura en l'aire –en Blériot s'esmuny entre els cotxes–, humors de represa de l'activitat social i a tot arreu persones que s'exasperen mútuament. Puja a pas lleuger el carrer de Belleville, amb els auriculars posats i enyorant ja l'època en què anava a casa la Nora sense pressa ni ansietat, perquè ella l'esperava al llindar de la porta i ell podia fer provisions de felicitat només anant cap a casa seva.

Un cop als Lilas –coneix el camí de memòria–, passa per davant el gimnàs i l'ajuntament, agafa els carrerons que fan pendent vorejats de torretes anònimes i arriba davant de casa la Nora corrent, panteixant d'aprensió.

Tot està tal com s'imaginava. La casa sembla que estigui clausurada, el portal i els porticons estan tancats, el jardí està buit. La correspondència adreçada a la seva cosina Bàrbara Neville s'ha quedat dins la bústia.

Per molt que en Blériot sàpiga que la Nora és capaç de desaparèixer sense donar un preavís ni una explicació, i de tornar exactament de la mateixa manera, ara no pot evitar pensar –sent una espècie de pell de gallina extrasensorial– que aquest cop el seu càlcul és bo.

El seu rellotge marca un quart menys cinc d'una.

S'ha tret els auriculars –en Percy Sledge li deu portar mala sort– i marca per si de cas el seu número de mòbil. Com algú que, sobretot, busca guanyar temps per reflexionar.

En realitat, no és tant la seva absència el que l'espanta com el seu silenci.

Ara s'adona que sempre han portat unes vides tan compartimentades que no sap on buscar-la ni a qui trucar. Tampoc no coneix el nom del curs de teatre que fa ni el de l'hotel de Roissy, i a més no té ni l'adreça de la seva família, ni la del seu excompany a Londres.

Com que ha sigut prou ximple de dir-li que no veia cap inconvenient perquè el tornés a veure, ella se'l deu haver pres al peu de la lletra.

Mentre que, en realitat, en el seu esperit es tractava d'un permís del tot teòric, i li hauria agradat poder-ne negociar les modalitats.

De tant desesperat com està, apaga el mòbil i tot seguit espera enmig del carrer, amb una mena de calma propera a l'estupor, fent l'esforç de respirar amb serenitat i de continuar mirant al seu voltant, amb la vista aixecada, per no replegar-se en la seva por.

En Blériot és conscient, en aquest instant, que és absurd quedar-se palplantat més estona en aquesta vorera, si no és que vol fer un numeret davant tot el veïnat; també sap que segurament faria millor oblidant-se'n i marxant del barri.

Així doncs, torna a baixar el carrer seguint-ne el pendent, sense amoïnar-se de saber on va, perquè hi circumstàncies en què, fem el que fem, anem sempre cap enlloc.

Camina en un estat de quasiingravidesa fins a una plaça amb un bar. A l'interior del local fosc, en Blériot es queda impressionat de la seva pròpia insensibilitat, com si encara estigués anestesiat. D'altra banda, el braç li pesa tant que li costa aixecar el got.

L'últim cop que va desaparèixer, se'n recorda, ell l'havia esperat durant hores a la banqueta d'un cafè bevent una cervesa rere l'altra, sense poder parar de suar.

L'endemà, tenia un missatge a la pantalla del mòbil: Estima'm molt. Ens separem per un temps llarg. (Love me do. We won't be seeing each other for a long time.)

Van ser dos anys.

Quan la Nora li va trucar el dia de l'Ascensió per anunciar-li que tornava, el seu dolor, evidentment, havia envellit.

Però recorda molt bé que, pujant al cotxe per anar a casa els seus pares, ja sabia per una funesta presciència que se'n penediria amargament.

No obstant això, si després de dos anys va tornar, si de seguida el va portar a casa seva, si van fer el que van fer i dir el que van dir, és que ella se l'estimava. No estava obligada a res.

A res, es repeteix ell. Però aquest esclat de comprensió, s'apaga gairebé d'immediat.

Ara s'imagina que, efectivament, es deu haver tornat a trobar a Londres amb el seu promès deprimit, a menys que es tracti d'un altre, d'un desconegut qualsevol, no més llest que els altres, i que comprendrà el seu dolor quan arribi el moment.

Ha tingut tants amants, tantes vides imbricades l'una en l'altra, que podríem creure que segrega una substància activa en entrar en contacte amb els homes, capaç ella sola de fer-los caure als seus peus.

En tot cas, una cosa és segura, i és que no esperarà dos anys que li truqui.

Perquè hi ha maneres i maneres de fer les coses.

A fora, el cel encara és sinistre; el vent, mullat i fred. Per molt que acceleri el pas, el carrer de Belleville li sembla tan inacabable com una cinta transportadora.

I al mateix temps, no pot evitar, mentre camina, de mirar fixament cada parella que es creua pel camí, espiar cada silueta femenina, girar-se amb cada riallada com si tot estigués a punt de tornar a començar.

Però avui no hi ha marxa enrere.

En Blériot ha tornat a casa. Ha tornat per plorar a les faldilles de la seva dona i confessar-l'hi tot.

Per sort, ella no hi és. A ell, segurament, això també li està bé.

Puja al pis de dalt i es fica al despatx per acabar la traducció –acumula gairebé deu dies de retard–. Però mentre prova d'aplicar-se, amb els ulls mirant de fit a fit la pantalla, la idea que potser ja no veurà més la Nora li torna sense parar a la consciència, i li paralitza els centres de decisió.

Dubta de totes les paraules.

En aquestes condicions, en general és preferible no insistir. És el que fa.

De dues a cinc, es queda estirat al llit, a la llum lúgubre de la tarda –deu ser el dia més llarg de l'any–, dedicat a fumar i a consultar maquinalment el mòbil com un home que es mou en apnea al fons d'una tristesa sense començament ni final.

De tant en tant, s'aixeca per anar al lavabo i cada vegada en surt aclaparat pel rendiment del seu aparell digestiu.

Una combinació de gas i de bacteris, vet aquí tot el que quedarà de nosaltres, es diu tornant a encendre el mòbil.

De vegades –és una variant– fa: Digui?, digui?, com si s'entrenés a contestar el telèfon, després penja.

El món ja no contesta.

Té la impressió d'estar sota els efectes de l'àcid.

Ara que està despullat, que ha deixat les coses al peu del llit, en Blériot es queda assegut amb el pit descobert sobre els llençols.

Amb una mà, sosté un got de cervesa, i amb l'altra es grata l'estèrnum amb l'expressió d'algú que es pregunta amb franquesa quina falta, quin incompliment, ha pogut cometre per merèixer el càstig d'una solitud semblant.

D'altra banda, de tant gratar-se, se li comencen a formar unes gotetes de sang al pit.

Podria ser una escena d'*A la colònia penitenciària*, però sense el desert i sense la màquina.

24

Comptant la Kate Mellow i ell, ja són sis passatgers a l'ascensor, en Paganello l'arribista, en Sullivan l'alcohòlic, en Brown el disbauxat –hi ha dies que en Murphy Blomdale té la impressió de viure enmig d'arquetips– i en Barney el melancòlic, fins que la senyoreta Anderson, al preu d'un gran esforç de compressió, també hi puja i tot d'una l'aparell s'accelera.

Dos segons més tard els deixa al vestíbul d'entrada, on hi ha uns grups aturats que s'interpel·len, molt excitats de marxar de l'oficina i d'anar a beure una cervesa a prop de Blackfriars.

En aquest sentit, els operadors de mercat no són gens diferents dels bombers o dels paletes.

En Murphy, flanquejat per la Kate i per en Max Barney, s'està preguntant si no convindria més pujar cap a Fleet Street per evitar la resta de la colla, quan algú arribat d'enlloc li crida: Hello, you! –suposant que efectivament sigui ell qui interpel·len.

L'aparició s'està a l'altre costat de la porta, en un contrallum molt fosc que l'encega durant algunes dècimes de segon.

Hello, em reconeixes?, li diu ella acostant-se amb una mena de seguretat tranquil·la.

S'ha aturat al llindar de la porta, i quan ell avança, per la seva banda, té la sensació que travessa un camp magnètic.

Es ella qui primer estén els braços.

Deus estar molt enfadat amb mi per no haver-te avisat, li diu la Nora, com qui diu: Deus trobar que he envellit de mala manera.

De cap manera, protesta prement-se contra ella i tornant a sentir l'escalfor vivent del seu cos mentre els altres al seu voltant, que deuen sospitar alguna cosa, s'allunyen com unes ombres perplexes.

Aleshores l'estreny una vegada més contra ell, abans de fer-se enrere per mirar-la de fit a fit.

Té una manera tan bonica de riure arrufant el nas i un posat tan juvenil, tan petulant, que gairebé podríem creure que és la primera vegada que es troben i que el temps és una pura il·lusió de perspectiva.

Només després, s'adona que duu un impermeable amb un petit mocador de llunes i que sosté a la mà una gran bossa de viatge.

En Murphy, ha tornat de sobte a consideracions més pràctiques, no sap si li pot proposar de quedar-se a casa amb ell –tirant per dalt– o si val més acontentar-se a demanar-li, sense semblar massa insistent, on té la intenció de dormir aquesta nit. A casa de la seva germana Dorothée?

La meva germana em crispa els nervis, respon ella. Es passa el dia donant-me lliçons, amb l'excusa que té tres anys més que jo i un MBA d'economia. No et recomano que passis una nit amb ella.

Després d'un instant de perplexitat, en Murphy pren la decisió de trucar a un taxi perquè els porti al centre d'Islington, com si fos un simple pelegrinatge sentimental sense cap compromís per part seva.

Amb aquesta bossa, preferiria que anéssim primer a casa teva, diu ella dins el taxi.

Perquè és ella qui ho proposa.

Aleshores en Murphy la besa discretament al coll sense fer-se més preguntes, ni mirar de saber per quin cúmul astronòmic de circumstàncies li ha sigut retornada.

Quan tornen a ser al pis on han viscut junts i per fi s'han desfet de les seves coses, tots dos tenen, de sobte, com un moment d'indecisió i es miren sense saber què fer, incòmodes amb ells mateixos.

L'emoció, la raresa de la situació, afegits a una certa circumspecció per les dues parts, els encoratgen més aviat a la passivitat.

En Murphy, en concret, que ha pagat un preu molt alt per la seva credulitat, ara sap massa bé fins a quin punt la Nora, sota la seva graciosa aparença, pot ser agressiva i llunàtica per tenir ganes d'exposar-se irreflexivament.

Em pots servir una copa de vi?, li diu ella en aquest instant, com una proposta per segellar la seva reconciliació i encetar una nova era.

És clar que sí, s'exclama ell, confós amb la seva distracció i força content de tenir una ocupació a la cuina.

Encara llegeixes la Bíblia, assenyala darrere d'ell mentre remena els munts de llibres de sobre la taula.

De tant en tant. Si t'he de ser franc, precisa ell mentre busca un llevataps, la lectura de la Bíblia és menys una taula de salvació que una mena de regulador emocional.

L'explicació pot semblar una mica embrollada, però no ho sap dir d'una altra manera.

Segurament, la culpa és del seu nerviosisme.

També llegeixes Leibniz, s'estranya ella. Però qui és Leibniz?

Un gran filòsof cristià i un gran matemàtic, diu ell, rient de la cara que ella posa.

Tots dos asseguts com als vells temps al sofà de la sala d'estar, amb la copa de vi a la mà, fan pensar en dos actors que assagen una escena de la vida conjugal —ella ha recolzat el cap sobre l'espatlla d'ell— el text de la qual han tingut la mala fortuna d'oblidar.

M'encanta aquest pis, diu llavors la Nora aixecant-se i improvisant de cop i volta un petit discurs nostàlgic sobre cada una de les habitacions, fins la més modesta, i sobre els costums que hi havia adquirit i les hores en què li agradava ser-hi.

Saps que t'hi pots instal·lar tant de temps com vulguis, li diu ell sorprès, perquè l'amabilitat i la sensibilitat inesperades que ella demostra des de fa una estona, com que li afecten una zona del cervell rares vegades estimulada, li comencen a atacar les línies de defensa.

Primer de tot tinc ganes de dutxar-me i d'anar a sopar al Dangello, diu rient, sense semblar que hagi sentit la proposta d'ell.

Com vulguis, diu en Murphy, que per al seu compte corrent hauria preferit alguna cosa més senzilla i més acollidora que el Dangello. Però no en dirà res, a causa d'aquest ascendent que exerceix sobre ell fins al punt de fer-li perdre el lliure albir.

Més tard, baixen a grans gambades per Saint John i Rosebery, garratibats pel vent, agafats l'un a l'altre com abans, quan eren despreocupats i feliços.

El Dangello no ha canviat. Entren en un vestíbul rococó, acollits per unes dames amb una brusa emmidonada –rebutgen el guarda-roba– i uns cambrers amb pitrera que els escorten entre les taules fins al fons de la gran sala crepuscular.

Pels murmuris que s'escampen de taula en taula, podem assenyalar sense equivocar-nos que l'entrada de la Nora, amb botes de cuir i impermeable d'aventurera internacional, no ha passat desapercebuda.

Quan es torna a fer el silenci, només se sent la lleugera dringadissa dels coberts –demanen el turbot a la brasa– i els xiuxiueigs dels comensals, entretallats de tant en tant per unes exclamacions inesperades, que són les que deixen al descobert les persones d'una certa edat equipades amb audiòfons espatllats.

A més, la majoria dels homes semblen cruixits i encorbats, i les seves mullers, assegudes ben rectes al cantell de la cadira, no deixen de girar els caps d'esquerra a dreta com periscopis de platí.

Per la seva banda, en Murphy, que he oblidat el que ha de fer o de dir, es queda perdut en la contemplació dolorosa de la seva companya, dedicada a picar amb serenor uns llegums.

Per què vas marxar, Nora?, no pot evitar preguntar-li amb veu baixa, quan ella ha acabat.

Per tenir el plaer de tornar i de retrobar-te. Jo sóc així. Necessito sentir-me lliure, xiuxiueja ella, obrint de bat a bat els grans ulls marrons com si el volgués aspirar.

Per lamentable que sigui l'explicació, en Murphy, sota la influència d'aquesta mirada, no aconsegueix tenir-li rancúnia i gairebé li buscaria excuses, recordant com n'era de jove quan es van conèixer.

Tan sols es permet preguntar, amb una punta d'ironia molt lleugera, si ara se sent lliure a París.

Molt lliure, contesta amb fermesa, abans de matisar l'afirmació evocant la presència invasora de la seva cosina Bàrbara, que té tendència a ficar-se on no la demanen i a voler acompanyar-la i vigilar-la quan surt.

Sense saber per què, en Murphy en aquest moment té el sentiment desolador de no creure-se-la, però no en diu res.

Tens pensat quedar-te gaire temps, a Londres?, li pregunta ell, encara amb veu baixa tot i que no hi ha gairebé ningú més al seu voltant.

Encara no ho sé, diu amagada darrere la carta de les postres. De totes maneres, m'imagino que encara puc dormir al sofà del despatx.

Tu decideixes, respon ell sense revelar el fons del seu pensament.

Els clients ja han marxat, els cambrers estan cansats i tenen pressa per tornar a casa. En Murphy es treu la cartera –sembreu i collireu– i crida discretament el maître. El compte, si us plau.

En aquest instant, paga perquè ella es quedi amb ell, perquè deixi de mentir, perquè ell deixi de pensar que menteix i perquè la seva vida encara tingui sentit. Tot està inclòs al compte.

25

És el teu pare, li crida la seva dona ensenyant-li el telèfon. En Blériot, a la porta del lavabo i amb la cara crispada per la neuràlgia matinal, l'avisa que l'agafarà a dalt.

Digui, fa ell sorprenent-se de respirar molt fort al telèfon.

Espero no molestar-te, comença el seu pare, és sobre la teva mare. Et truco des d'una cabina.

S'ho esperava.

Sembla que el nerviosisme i els canvis d'humor de la mare s'han convertit aquestes últimes setmanes en franca hostilitat, fins al punt d'insultar els veïns i de provar dues vegades d'aixecar-li la mà al seu marit.

Els exàmens neurològics que li han fet a l'hospital, li explica el pare, amb aquella dicció alentida d'un home de setanta anys que pren sedants, no han revelat res estrany i torna a ser a casa.

No puc més, confessa.

En Blériot, que tampoc no es troba en un estat gaire esplendorós, sent en aquest instant que s'ha de dominar com sigui i provar d'estar a l'altura de la situació per una vegada.

Vindré avui en tren, li promet, tot buscant a la pantalla la pàgina de les reserves.

Sobretot no li diguis que he sigut jo qui t'he avisat, li recomana aleshores el seu pare com si temés un càstig.

No et preocupis, diu imaginant-se'l entotsolat a la cabina.

Tot seguit, s'acaba de rentar al lavabo, prepara algunes coses, li fa un petó a la dona —té els seus bonics ulls tristos i comprensius— i a les nou surt al carrer, acabat d'afaitar, fredament desesperat.

Un cop assegut al tren, primer comprova que no té cap missatge de la Nora, i després inclina el seient tot escoltant *Werther* de Massenet. Mentrestant, a l'altre costat del vidre el seu doble immaterial i feliç corre per una pista rural amb les línies elèctriques i els cotxes solitaris.

Ara, raoni com raoni, agafi per on agafi la seva història amb la Nora, li continua semblant igual de desoladora i li agradaria poder pensar en una altra cosa.

Amb la condició que no sigui la salut de la seva mare.

Llavors en què? En la seva infància, en les passejades en bicicleta que feia per les Cevenes, en tots aquells anys d'abans: abans de la Nora, abans de la Sabine, abans d'estar enamorat per primera vegada.

En Werther no volia pas cap altra cosa.

Tots els homes senten nostàlgia d'aquell temps tan gran en què l'elasticitat de la vida ho feia tot possible.

En sortir de l'estació, en Blériot lloga un cotxe i es troba, uns quants quilòmetres més enllà, en la desolació d'una màquia sense horitzó, avançant cap als turons, amb les seves acumulacions nebuloses i els seus pobles deserts on només hi passen el vent i els núvols mullats.

Segons sembla, aquí l'estiu també ha marxat definitivament, com aquells patrons facinerosos que tanquen l'empresa per fugir als tròpics.

Després de La Feuillade, en Blériot es recorda que ha de tombar a la dreta per agafar la carretera plena de revolts que puja fins a Saint-Cernin, amb el pontet i la capella, que cada vegada li serveixen per orientar-se.

Davant el portal de la casa, hi veu un mena de babau cofat amb un barret de pescador que li fa grans gestos sota la pluja, i triga uns quants segons a convèncer-se que és el seu pare.

S'ha encorbat, la cara se li ha tornat tota grisa i té els ulls com enterbolits i mig vidriosos, potser perquè està emocionat o perquè pateix una afecció al cristal·lí.

Louis, ja no sé què fer, diu ell, sense deixar-li temps de baixar del cotxe. La teva mare em mata.

M'has d'ajudar, de debò, insisteix, i tot seguit li repeteix paraula per paraula el que ja li ha explicat per telèfon.

Després d'un silenci altruista, en Blériot li pregunta si la mare està al corrent de la seva arribada.

És clar, fins s'ha mudat per a tu. En fi, si d'això en podem dir mudar-se. Ara ho veuràs.

A primer cop d'ull, sembla que la casa no ha canviat, amb els empaperats de cretona, les males pintures i les fotografies emmarcades que li recorden un temps en què semblaven una família impecable i sense història.

El Billy continua dormint al sofà.

En canvi, el manteniment de la casa més aviat fa caure l'ànima als peus. Des que la senyora de fer feines va ser acomiadada sense contemplacions, el pare es veu obligat a fer-ho tot; cuinar, anar al poble, omplir la rentadora de roba bruta, planxar i ocupar-se dos cops al dia de la higiene de la seva dona, perquè sembla que té tendència a descuidar-se.

No vols que vingui amb tu?, li pregunta el pare davant la porta de l'habitació.

No, li contesta mirant-lo un instant, perquè li costa acostumar-se a la seva transformació.

Com pot ser que, en uns quants anys, el viatger intrèpid i l'eixerit jugador de ping-pong que va conèixer en el passat s'hagi pogut convertir en un senyor vell, ansiós i irresolut, que sembla que està constantment atemorit de la seva ombra?

Quan entra, la seva mare està asseguda davant el televisor, amb les cames descobertes i vestida amb una mena de brusa de quadrets blaus, mig bata, mig camisa de dormir. La seva cara, il·luminada per la pantalla, sembla esquelètica, i té els cabells completament grisos.

Sembla ben bé que no tingui edat.

Avui és 21 de setembre, em dic Colette Lavallée i no tinc la malaltia d'Alzheimer, bromeja ella com si li llegís els pensaments.

I a continuació li retreu confusament que és un egoista, que viu a costa dels altres i que no té cap sentiment envers ningú.

De totes maneres, fas conxorxa amb el teu pare per enviar-me a l'hospital.

Ell es queda sense resposta.

Però jo sé que has vingut a buscar el teu xec, li diu ella aixecant-se de cop i volta. Oi? No és això? Gosa dir el contrari.

A tu, el que t'interessa són els calés, fillet meu, prou que ho sé, els calés de la Colette. Ets com el teu pare, continua ella posant-se a donar voltes per l'habitació.

Saps ben bé que he vingut per veure't, la reprèn ell pacientment mentre fa l'esforç d'agafar-la una estona entre els braços, a pesar d'aquella mescla de malestar i de repulsió física que encara sent cap a ella.

Per molt que recordi que és la seva mare, que l'ha cuidat i criat, ni millor ni pitjor que una altra mare, i que probablement se l'ha estimat a la seva manera, ja no sent res per ella.

No ho pot resistir. El nervi sensitiu està tallat.

El papà està molt amoïnat amb tu, prova ell de fer-li entendre.

Feu una bona parella d'ineptes, tots dos, li respon ella adoptant el seu to de directora d'escola.

Imagina't que simplement estic cansada. Saps què és estar cansat?

En Blériot, fet en el motlle de l'ansietat paterna, té la impressió que li etzibarà una bufa ara mateix.

El pare l'espera a la petita habitació que ha habilitat al soterrani. Ja ho sap tot.

Ara què vols que faci?, li diu ell, amb la veu d'un home que dubta entre ficar el cap al forn i aspirar monòxid de carboni dins el seu cotxe.

Ho he provat tot, ho he aguantat tot. Saps la història de la canya que es doblega i no es trenca, bla, bla, bla?

Donc jo estic completament fet miques, afegeix.

Perquè el seu pare pot ser divertit, quan vol.

Com que gairebé ja no plou, tots dos surten a passejar al final de la tarda pels camins dels voltants, aixoplugats pels arbres. Les fulles humides semblen pesades i deixen caure gotes sobre la nuca quan passen per sota. El seu pare parla tot sol.

A parer seu, hi deu haver una síndrome depressiva a la família Lavallée. L'avi, recapitula, es va penjar després de la guerra, l'oncle Charles no va ser capaç de treballar en tota la seva vida, i pel que fa a la Marie-Noël, la germana de la Colette, que viu a Clermont, pren tranquil·litzants des que es va jubilar.

El fill, que és, doncs, l'última baula d'aquesta cadena genètica, no té gaires ganes d'entrar al debat.

Al costat de les tanques, les vaques en rotllana giren els grans ulls pacients cap al vespre, perquè tots els éssers, recorda en Blériot, tant els éssers racionals com les bèsties, tenen la necessitat de contemplar.

Ell mateix, al capdavall, voldria poder pitjar la seva petita tecla secreta per concedir-se un moment de contemplació.

Però no troba la tecla.

En tornar a casa, fan una mica de neteja i paren la taula per a dos, ja que la mare no vol baixar. La senten córrer amunt i avall a sobre seu, anar al lavabo, tornar cap al llit, tirar objectes a terra, tornar a enfilar el passadís. No para quieta.

Cada nit és així, li diu el pare, un cop al jardí. Fins i tot he de curar-li els peus abans de ficar-la al llit.

De vegades, té sang a les sabates.

En Blériot es queda sense veu. No la poden deixar en aquest estat.

Has de trucar sigui com sigui a un metge, li prega, i tornar-la a hospitalitzar: és ella o tu.

L'endemà, quan passa en cotxe per una urbanització a la perifèria de Montpeller, en Blériot veu una dona jove molt morena que espera en un portal, vestida amb una bata senzilla posada sobre el pijama.

Es deu haver vestit amb presses i ha sortit a trobar el carter o un repartidor qualsevol.

Amb una mà sosté un senzill paraigua de ratlles vermelles —ell condueix lentament, sense treure-li els ulls del damunt—, i amb l'altra prova de posar-se un ble de cabells darrere l'orella.

És tan perfecta, pensa, tan inconscient de la seva perfecció, que podria ser legítim acabar aquí el viatge i demanar-li amb educació permís per tenir descendència amb ella.

Mentre fa aquestes reflexions al volant, els neumàtics del cotxe fan petar la grava del voral.

Quan arriba a la seva altura, abaixa el vidre, ella inclina el cap creient que necessita una informació (Que està casada?), però en Blériot es limita a somriure-li tot mirant-la als ulls.

Abans d'allunyar-se molt a poc a poc, sense descendència.

Ha sigut el seu moment de contemplació.

26

En Murphy, escortat per en Max Barney i per en Sullivan –és el ros, una mica macrocefàlic, que camina a la seva dreta–, puja per New Change sota un paraigua, amb l'esperit amoïnat pels imprevistos de la seva vida domèstica amb la Nora.

Senten tocar les cinc. Aleshores, com si es tractés d'un senyal, en Sullivan, novament assedegat, vol tant sí com no que prenguin una cervesa amb ell. Com a bons companys, accepten una cervesa i l'abandonen després a la seva sort, força satisfets d'haver-se'l tret de sobre.

Mentre en Murphy es continua fent mala sang amb la seva convidada imprevisible, en Barney li confessa que, per la seva banda, l'horitzó també es comença a enfosquir i que és probable que la seva col·laboració amb l'agència hagi arribat a la fi –en Borowitz ja li n'ha fet cinc cèntims.

Amargat pels seus fracassos i per aquella mala sort perpètua que es converteix en un fenomen social –ja va pel quart acomiadament en quatre anys–, en Barney s'arriba inclús a preguntar si tot això no respon a una persecució organitzada.

Per part de qui?, pregunta en Murphy sortint dels seus pensaments. En Max no té resposta.

El que evidentment no li pot dir és que els seus eterns balbuceigs a les reunions de feina i les seves bromes patètiques –gairebé sempre a destemps– tampoc no milloren la seva imatge a ulls de la direcció.

Com tenen costum de fer, se separen davant l'estació de Moorgate, i en Murphy, novament capficat, troba la manera d'equivocar-se de línia.

A l'autobús que per fi el porta a Islington, de cop i volta està convençut que quan ell arribi la Nora haurà marxat, que el pis estarà silenciós i els objectes desats al seu lloc, els mateixos de cada dia, i que tot li semblarà inert com després d'un encanteri.

Ja s'imagina el soroll dels seus passos pel passadís buit, les forces del no-res emboscades darrere la porta.

Però hi és. Està estirada al sofà que li fa de llit al despatx, amb les cames doblegades. Li gira l'esquena.

Pres per una necessitat sobtada de relaxar-se, corre a servir-se una copa de vi a la cuina, i després torna per seure al seu costat sense fer soroll.

En algun pis de dalt, algú toca al piano una petita melodia de ragtime.

Aquest moment estrany, reflectit per la consciència d'en Murphy –ha apropat la cadira–, té la bellesa punyent d'allò que potser no es repetirà mai més.

Dormies?, diu ell finalment, posant-li la mà sobre la galta.

No, m'avorria, diu ella estirant-se. Quina hora és?

S'avorria, s'estranya ell per dins. I això que té tota la llibertat de sortir, d'anar on vulgui, de trobar-se amb qui vulgui.

Com et pots avorrir si només han passat tres o quatre dies?, li pregunta seient al cantell del llit per acariciar-li el coll i les orelles calentes.

Se'l mira un instant inclinat a sobre seu, sense fer el més petit gest de reciprocitat, abans de respondre-li en un to desimbolt que mal que li pesi ella és així, s'avorreix, i de totes maneres, ja no coneix ningú a Londres.

En Murphy, desconcertat per aquesta coexistència entre l'antiga i la nova Nora, es queda sense respondre res.

T'avorreixes de París, li diu ell per fi, mirant-li de fit a fit els ulls de color coure com si es complagués sofrint.

Des que ha tornat, podria comptar amb els dits d'una sola mà les vegades que ella ha acceptat abordar el tema de la seva vida a París. Ell no ha insistit. Però aquests llargs quatre mesos s'han quedat plegats dins del seu embalatge i posats entre tots dos com un paquet bomba.

Ara, ell té ganes d'estirar la cordeta.

Suposo que tens algú que t'espera a París, li diu ell, i esmenta per si de cas el nom de Sam Gorki –aquell que li ha trucat una desena de vegades.

Pobre Sam, m'espera des de fa anys i panys, diu rient per fer-li entendre que aquest no hi pinta res.

M'agradaria que tots els nois fossin tan pacients.

En aquest instant, en Murphy, a qui això no fa cap gràcia, creu útil recordar-li que ell sempre ha sigut del tot sincer amb ella i que per tant té dret a exigir-li el mateix.

Exigir què?, fa ella, al límit de l'agressivitat.

Exigir que em diguis d'una vegada per totes amb qui vius a París.

Després de reflexionar un moment, la Nora li assenyala d'entrada, mentre seu al sofà i encén un cigarret, que no devem la veritat a ningú, però que si insisteix tant li'n pot dir el nom. Per la seva banda, no veu què hi guanyarà.

Que l'hi digui de totes maneres.

Es diu Louis Blériot i el vaig conèixer molt abans de conèixer-te a tu, diu observant-lo, satisfeta del seu efecte.

Louis Blériot? repeteix ell dues o tres vegades, perquè la impetuositat de la seva confessió l'ha desarmat una mica, però què vol dir això? No és el nom d'un aviador?

Si vols, sí. En tot cas, afegeix ella per pura provocació, és un noi amb qui em diverteixo moltíssim.

Segurament perquè té una manera massa seriosa de pensar, en Murphy no vol creure, no pot creure, que ella s'hagi pogut relacionar tant de temps amb un noi pel sol fet de ser divertit. Hi ha d'haver alguna altra cosa.

Hi ha tota la resta, admet ella després d'un silenci. Aleshores s'aixeca i també es va a posar una copa de vi a la cuina. És un noi molt estrany.

Mentre se l'escolta assegut sobre un tamboret, amb tanta constància com pot, en Murphy s'adona de mica en mica que, durant tot el temps que ha viscut amb ella, la Nora pertanyia a un altre –físicament o no– i que ell no ho havia sospitat mai.

Probablement perquè no tenia cap experiència en aquesta mena de situació i no havia desenvolupat cap anticòs, cap capacitat instintiva per detectar les seves mentides.

Ara sap a què atenir-se.

Durant uns quants minuts, es queda paralitzat sobre el tamboret, perdut en una mena de boira emocional que li impedeix pensar.

M'imagino, li diu més tard agafant-la entre els seus braços, que tens la intenció de tornar aviat a viure amb ell.

No visc amb ell. Si fossis amable, atent i una miqueta psicòleg, li replica ella amb calma, deixaries de fer-me aquesta mena de preguntes i et preguntaries més aviat si encara vols viure amb mi.

Viure amb tu?

El farà patir fins al final.

De manera espontània, té ganes d'esclatar a riure i de contestar-li que no, no, i tres vegades no, perquè admetent inclús, per pura hipòtesi, que ella realment se l'estimi, ja s'imagina amb quin preu ho pagarà.

Així doncs, se n'aparta. Per la seva cara, ella deu haver pressentit que el futur de la seva relació es troba en procés de revisió i que el pronòstic no és gaire optimista, perquè s'ha abocat a la finestra del menjador sense dir res més, amb el cos inclinat sobre el carrer.

En Murphy sap que en aquest instant li hauria de dir que val més separar-se així, que té tota la vida per davant i que l'oblidarà molt ràpid. Però es queda mut.

Com si esperés que algú altre ho digués en lloc d'ell.

Al cap d'una estona, ella se li torna a asseure al costat, al sofà, amb el cap recolzat damunt la seva espatlla, i ell desisteix de fer-li més preguntes. De totes maneres, a ella no li agraden les confessions i ell no té el poder d'absoldre ningú.

Però el que no entendrà mai és aquesta necessitat que té d'enganyar-lo i de tornar després a viure amb ell. Què hi farem. Pau i silenci a la Terra i sota el firmament. Que faci el que vulgui.

Saps què, Murphy?, diu ella abraçant-lo. No, li contesta.

M'encanta la teva innocència.

La meva innocència?

27

El mateix matí, en Tannenbaum li ha enviat per correu electrònic un missatge de gairebé cinc-centes paraules, que és una mena de requisitori, d'exhortació i d'epístola electrònica on li retreu de ser un amic oblidadís i força intermitent i d'haver-lo abandonat a la seva sort mentre es consumeix al llit.

En Blériot es recorda, aleshores, que li havia promès de passar-lo a veure per tenir-ne notícies i que se n'ha oblidat, com ho oblida tot des de fa unes quants dies –la Nora ha passat per aquí–, fins al punt que té la sensació d'haver perdut el sentit de la pròpia continuïtat.

Com que no és un amic tan desagraït com en Léonard fingeix creure, de seguida deixa de traduir, es vesteix i agafa un taxi fins a les Buttes-Chaumont, amb l'esperança de consolar-lo una mica. Encara que sense gaire entusiasme per part seva.

Un homenet amb la cara morena i el bigoti caigut, que li dóna un aire vagament proustià –Jacques Cusamano, es presenta mentre li estreny la mà amb la punta dels dits–, el fa entrar al pis anunciant-li amb cara de circumstàncies que el seu amic no està gaire bé.

Esperi, no és pas greu?, s'esvera en Blériot, que ja tem trobar-lo a les acaballes.

Descansa a la seva habitació, el tranquil·litza l'altre, que li proposa amablement d'anar-lo a avisar de la seva visita.

Mentre desapareix al fons del passadís, en Blériot recorda que en Tannenbaum, que és la indiscreció personificada, li va confessar que anys enrere havien preparat junts l'examen del MIR sense gairebé conèixer-se, fins al dia que per la més atzarosa casualitat es van adonar que a tots dos els agradaven –el món és petit– els nois morenos i molt peluts.

Però si bé en Léonard va dur de seguida les seves idees a la pràctica, en Jacques Cusamano, segurament més timorat, encara espera a casa de la seva mare el príncep blau.

Pot passar, li anuncia l'altre des del llindar de la porta.

Ajagut al llit com un al·ligàtor inert, en Tannenbaum ha alçat una parpella quan ell ha entrat, tot estirant de cop i volta la manta en un reflex púdic.

Encara té la cella inflada, se li ha aprimat la cara i una barba de tres dies li cobreix les galtes.

Al seu voltant, els munts de llibres i de revistes, les ampolles buides, les bosses de paper, la roba tirada de qualsevol manera sobre les cadires, són la prova d'un abandonament que no ha fet sinó durar massa.

Com veus, company, m'estic convertint en un malalt allitat, li diu en Léonard tot abraçant-lo.

Per la seva veu pastosa i els ullets brillants, en Blériot intueix que ha begut massa.

Podries estar pitjor. Tens lectures, visites, i fins has trobat un infermer, li assenyala en Blériot ajudant-lo a recolzar l'esquena en un coixí, mentre en Cusamano ha tornat a seure a la cadira, amb la cara malhumorada i les mans encreuades a la falda.

Cusa, ens pots deixar un moment?, diu en Tannenbaum, neguitós, tot girant-se cap al seu visitant amb un somriure amenaçador perquè li expliqui sense embuts el que li ha passat des de la seva última trobada.

En Blériot s'empassa saliva i s'arregla una mica prenent-se el seu temps, com si fos rebut en audiència privada pel seu director espiritual, i tot seguit, enceta el relat dels seus turments i de la seva addicció massa llarga a la Nora, amb les conseqüències malaurades que n'han derivat.

Encara vius maritalment amb la teva dona?, s'amoïna en Tannenbaum, que es torna boig amb els problemes de casuística conjugal.

Per descomptat. A jutjar per les seves reaccions i per la manera com em parla, tinc la impressió que no està al corrent de res, respon amb prudència.

En aquest cas, és un mal menor, admet. Però saps, des que t'has tornat un home adúlter i fingidor, em fas patir, reiet meu, perquè t'has deteriorat. No sé com acabarà, tot això.

Mentre esperem, afegeix, donant-li copets al genoll amb entusiasme, tu i jo semblem dos vells paquets pendents de ser entregats.

En Blériot no vol dir res, però tot i així sent que ell és el més desgraciat dels dos.

En Rachid encara no t'ha donat senyals de vida?

Aquest és el gran problema.

En Léonard es veu obligat a reconèixer que ara només li queden les suposicions i que, segons tota probabilitat, en Rachid ha tornat a viure a casa de la seva dona. Segurament pressionat pels seus germans i la seva filla.

En segueixen unes paraules amargues sobre la filla d'en Rachid, amenitzades amb uns quants comentaris fora de lloc sobre les famílies musulmanes, que en Blériot té la deferència de no escoltar.

Metafísicament parlant, ho he fet tot malament, declara en Léonard mentre encén el televisor que hi ha sobre el parquet. No tinc ni dona, ni família, ni parella, i no em queda altre remeï que matar el temps mirant westerns o sèries porno fins a les dues de la matinada.

Sembla que la meva interpretació de la vida no era la correcta, conclou enfonsant-se tot d'una en el coixí, com si l'audiència s'hagués acabat.

En Blériot, lluny d'ofendre's per aquest gest, mira una estona la televisió amb ell mentre els arbres de les Buttes-Chaumont, com en un tecnicolor dels anys cinquanta, esquitxen els vidres amb els seus colors ataronjats.

Potser prefereixes descansar, li acaba dient en veure que pesa figues.

La televisió, assenyala en Tannenbaum alçant-se per buscar el comandament a distància, té aquest avantatge sobre els malsons de la vida: podem apagar-la quan volem.

Coneixes el secret més universal i que a pesar de tot no s'ha filtrat mai?, li pregunta de sobte, agafant un llibre de Péguy del prestatge.

El secret més hermèticament secret, el secret que no s'ha escrit mai enlloc?

El secret, llegeix ell tot ajustant-se les ulleres, més universalment divulgat i que tanmateix els homes de quaranta no han revelat mai als de trenta-set, ni aquests als de trenta-cinc. El secret que no ha arribat mai als homes de baix.

Saps quin és?

No. T'escolto, Léonard.

Els homes no són feliços.

Des que hi ha homes, declara ell amb la seva veu d'oracle, cap home no ha sigut mai feliç.

Ho sospitava una mica, diu en Blériot per dir alguna cosa, en el moment en què en Cusamano, el qual havien oblidat a l'avantcambra, els anuncia una visita.

Són la senyora de Clermont i la senyora de Bernardet, li diu en Léonard, de sobte ressuscitat.

En Blériot, que ja en té prou, prefereix desaparèixer de seguida. Tot i així, saluda al passadís en Philippe Clermont i el petit Bernardet, que s'està tornant a empolvorar discretament davant el mirall, mentre en Tannenbaum, amb un gest protocol·lari, els convida a seure al seu voltant.

Diríem que som a Jalta. En l'última imatge que s'enduu d'ells en tancar la porta, en Philippe Clermont, burleta, posa amb el seu gros puro havà mentre en Léonard, enfonsat a la butaca, exhibeix el somriure ja llunyà de Franklin Roosevelt.

28

Per precaució, ha esborrat del mòbil el missatge de la Nora –per fi ha tornat de Londres–, després ha baixat com si res a preparar-se unes torrades i a llegir el diari del dia abans, amb un aire impertorbable.

Això no vol pas dir que després no necessiti gairebé mitja hora abans de poder obrir la boca i interessar-se a través de la porta del lavabo pels projectes de la seva dona.

Aquesta tarda ha de tornar a marxar a Marsella.

Un cop ha esmorzat, en Blériot es guarda prou de mostrar la més mínima impaciència, per por de despertar les sospites de la Sabine i de donar peu als seus comentaris, i passa la resta del matí teclejant l'ordinador i donant voltes al seu despatx en una mena d'angoixa emocional.

Probablement, si un artista hagués volgut pintar una al·legoria de la Tranquil·litat, no l'hauria pres de model.

De tant en tant, per calmar-se i ocupar les neurones ocioses, espia per la finestra el pis de la veïna octogenària, que dorm amb un bata d'estar per casa davant el televisor, com acostuma a fer.

Com menys vivim, més temps vivim, filosofa ell tot esperant que marxi la seva dona.

Em pots avisar un taxi?, li crida ella a l'escala, són dos quarts de tres i ja faig tard. Em pots ajudar també a baixar la maleteta blava?

Entesos per la maleteta blava. En Blériot empeny la sol·licitud fins a dur-li pel mateix preu la gran bossa de cuir negre. Després, espera que hagi pujat al taxi abans d'anar-se a preparar al lavabo, pregant perquè no hagi oblidat res.

Un cop dutxat i ben afaitat, es nua la corbata de *bluesman*, es calça les velles botes de cuir i se sent immediatament operatiu.

En la seva precipitació, tanca la porta i s'adona que s'ha deixat el carnet d'identitat i la documentació a dins –és la inhibició–, i baixa les escales de quatre en quatre. Després, obre amb precaució la porta de baix, no hi veu la seva dona, i ja el tenim a fora, corrent un cop més cap als Lilas com si el temps no parés de tornar a anar cap enrere.

Els finestrons són oberts, el portal mig tancat. Mentre travessa el jardí envaït per les males herbes, durant un instant té la impressió de flotar, alliberat de la pesantor. Empeny amb un cop la porta d'entrada.

Sóc jo, es presenta amb les mans fent de megàfon.

Quan la veu a dalt de l'escala amb el seu vestidet i les mitges, en Blériot –no el canviarem mai– de sobte sent una fredor que se li estén fins a les extremitats.

Here you are, diu la Nora adreçant-li un somriure. Però sense moure's, com si temés la seva reacció.

Puc pujar?, li pregunta ell de la manera més dolça possible.

Ara es despullen a l'habitació, ell amb una mica de precipitació, molt emocionat de ficar-se al llit en plena tarda, ella més circumspecta, com si es prengués el seu temps –encara s'està descordant el cinturó del vestit–, com algú que ha decidit fer una vaga de zel.

Però en aquell moment, ell a penes hi dóna importància. Sap per experiència que totes aquestes separacions i aquestes intermitències massa llargues els arruïnen la vida, els desacostumen cada vegada l'un de l'altre, i que, per tant, els cal tenir paciència.

Quan per fi arriba aquell moment esperat amb una nostàlgia tan ardent en què ell està premut contra el cos de la Nora, desempallegada del vestit i de les mitges, tot d'un plegat l'aixeca a pols com si fos una jove núvia despullada a qui passeja per l'habitació, mentre ella es peta de riure tot donant-li cops de peu.

Louis, stop it, please!

Aquest instant de felicitat, aquest pobre minut de glòria, malauradament s'acaba tan bon punt estan junts al llit –ell ja és sota el llençol– i ella l'empeny sense miraments contra la paret.

No m'agrada que et comportis així, li declara ella encreuant les cames, em fa la impressió que rebo un client.

En Blériot, una mica avergonyit, es queda uns segons recolzat a la paret, amb les mans amagades sota el llençol, mentre ella s'està arraulida a la vora del matalàs, disposada a sortir del llit si nota que ell torna a començar.

Digues, Neville, a què jugues?, li pregunta al final, inclinant-se per agafar-li les cames. Perquè se sent desesperat i excitat alhora.

A res. És així, replica ella ajuntant les cames i enganxant-li la mà.

Pel seu nerviosisme, pel seu aire tossut, pel tremolor del seu llavi, en Blériot intueix de seguida que no està disposada a canviar d'opinió i que farà millor de no insistir. Ho veu clar, s'han disparat totes les alarmes.

Suposo, diu –aconsegueix mantenir el domini d'ell mateix–, que és el viatge a Londres el que t'ha deixat en aquest estat.

És molt probable, diu asseguda al llit, amb els braços al voltant dels genolls.

Com que les seves conjectures s'han convertit en ansietats, en Blériot li demana aleshores amb la seva veu més dolça, més persuasiva, que li expliqui punt per punt què ha passat a Londres, mentre per la seva banda ella encén un cigarret, com un trànsfuga en el moment de donar explicacions sobre la seva missió.

A més, té la mateixa manera de guanyar temps, perdent-se en una llarga història sobre les relacions amb el seu excompany. Tot plegat, interromput per un seguit d'incisos sobre la seva germana i la seva cosina, que semblen fets per enredar-lo una mica més.

Fins que ell li prega fermament que reprengui el fil i li digui què ha fet amb en Murphy. Perquè ara ja té un nom.

Molt bé, diu ella, obrint i tancant de sobte les parpelles a un ritme embogit, sense poder-se controlar.

Li explica d'esma, amb els ulls mirant de fit a fit un apuntador imaginari, que en comptes d'anar a l'hotel com tenia previst –havia reservat una habitació a Camden– li va acceptar la invitació de quedar-se a casa seva, perquè francament li va semblar que era molt desgraciat i tenia ganes de passar uns quants dies amb ell.

Dormia al sofà del despatx, precisa, com si això canviés alguna cosa.

Espero que almenys hagis tractat bé aquest pobre Murphy, es diverteix empipant-la, i alhora evita fer-li preguntes massa explícites per estalviar-se un patiment inútil.

De cap manera. És la mateixa tarifa per a tothom, li contesta ella mentre busca la seva roba a sobre el llit.

De totes maneres, sabia que no em creuries.

Doncs sí, Nora, et crec del tot, insisteix ell mentre es promet interiorment de comprovar un dia totes aquestes informacions i extreure'n la veritat. Com si es tractés d'una arrel quadrada.

Jo no et faig preguntes sobre la teva dona, així que deixa'm en pau, Louis. Sóc lliure de fer el que vulgui amb qui vulgui.

Vet aquí una declaració franca, reconeix en Blériot tot pensant en la semblança de les paraules *garsa* i *gràcia*.

En aquest instant, en comptes de fer un gest irreparable, en Blériot decideix anar a la finestra i encendre també un cigarret, perquè intueix que han arribat a un moment decisiu.

Però decisiu en quin sentit?

En tot cas, li comenta tirant el fum cap al xàfec, es pot pronosticar que, després de la seva relació amb un operador de mercats americà, té moltes possibilitats, estadísticament parlant, d'acabar la seva carrera als braços d'un oligarca rus o d'un emir saudita.

No tens dret a parlar-me així!, crida ella de cop i volta tirant-li les mitges a la cara. How dare you?

How dare you?, repeteix ella, picant amb el peu i fent caure tot el que té al seu voltant.

Pel que fa a la serenitat dels debats, deixem-ho córrer.

En Blériot, que molt poques vegades està a l'altura de les situacions extremes, aquest cop té prou presència d'ànim per no fer-ne un gra massa i per saber aturar-se a temps, seguint l'exemple del pilot que redreça un *looping* en l'últim moment, just abans de tallar el cable del telefèric que té al davant.

Està bé, Neville, retiro tot el que he dit i fem les paus, li proposa ell provant tot d'una un aterratge suau.

Primer no passa res.

La cara de la Nora es queda enganxada tan a prop de la seva que li veu la textura de la pell i les ulleres fosques sota els ulls, mentre respiren en silenci com si escoltessin el soroll del carrer. Després la tensió decreix a poc a poc, la bogeria s'allunya.

Què et sembla si prenem una copa de vi blanc i després anem a sopar a algun lloc, diu ell un cop calmat, per evitar fer-li la gran escena de la reconciliació.

Com que plou molt, van a sopar al xinès de la cantonada.

No endevinaràs mai a qui he tornat a veure, a dos carrers d'aquí, li anuncia ella: l'home del barret. Aquell que t'espiava, segons tu.

Era ell o el seu doble?

Ell, n'estic gairebé segura. De fet, és un indigent, un pobre home que dorm en un cotxe aparcat al costat de l'estadi.

És increïble, les històries que la por ens pot inspirar, assenyala ell després de reflexionar un moment.

La por o la culpa, Louis Blériot-Ringuet. Estic convençuda que hi ha tants homes amb barret com homes infidels.

No ho trobes divertit, això?

No, ho trobo més aviat depriment, diu ell mentre paga el compte.

Després, tornen aviat pels carrers buits, abraçats sota el paraigua.

A la nit, mentre la Nora dorm tranquil·lament embolicada amb la seva manta, en Blériot, que torna a pensar en en Murphy i en ella i no aconsegueix conciliar el son, de sobte té la sensació que camina tremolant de fred per aquelles galeries profundes on la pena dels homes enganyats –de tots el homes enganyats des de la nit dels temps– s'ha conglomerat en roca.

I com més avança per aquesta foscor palpant les parets, més s'oblida, evidentment, del camí de tornada. Perquè hi ha penes de les quals no es torna.

29

La Nora s'ha despertat enmig de la nit –a ell li ha semblat veure llum a l'escala–, després ha tornat a pujar sense dir res i s'ha adormit, amb el seu braç a sobre d'ell.

Quan es desperta, en Blériot es troba ben incòmode, amb aquest braç posat de través sobre el seu pit que li impedeix moure's.

Guardant les distàncies, li sembla que és un home immobilitzat sota una biga i que el cos se li comença a adormir de mica en mica. Perquè el braç de la Nora pesa quilos de son.

Com que no el pot aixecar sense despertar-la ni desencaixar-li l'espatlla, decideix, doncs, fer-lo lliscar, centímetre a centímetre, fins a fer-lo tornar al llarg del seu cos, on acaba reposant d'una manera estranya amb la mà girada.

De la mà, se n'encarregarà més tard. De moment, s'afanya a endreçar les seves coses i a vestir-se sense fer soroll, abans d'obrir la porta d'entrada i de sortir al carrer a buscar un cafè obert.

Quan torna una hora més tard, amb uns croissants i uns diaris anglesos, la Nora encara té els ulls tancats i tot sembla adormit al seu voltant com si els hagués contagiat la son, les ombres, les cortines, les regueres de pluja, la roba, el telèfon.

Durant aquesta estona, en Blériot, que pot tenir la paciència d'un braman, està tranquil·lament assegut al cantell del llit, rosegant un croissant, amb el un diari obert als genolls.

De tant en tant, cansat de repassar els resultats dels clubs anglesos, s'inclina discretament damunt d'ella per acariciar-li les espatlles i l'esquena arquejada amb l'esperança de suscitar una reacció, un petit estremiment, però no hi ha res a fer.

Continua igual d'inanimada.

Amoïnat per aquesta letargia, al final es decideix a cridar-la: Nora, Nora, li xiuxiueja a l'orella tot movent amb precaució els dits sobre la seva pell, com un lladre que busca la contrasenya de la caixa forta.

Nora, darling, continua dient sense desanimar-se, mentre que la mà esquerra –és esquerrà– li prem suaument les natges.

Louis, ets realment pesat, reacciona ella de cop i volta girant-se i enretirant-li la mà. Ja t'he dit que no en tenia ganes.

Però això era ahir, es defensa ell.

T'asseguro que ara mateix no em ve de gust, afegeix tan seriosament com si es tractés d'una cesura històrica.

Sentint-la dir això, fins i tot creuríem que un matí, en escoltar els titulars de les notícies, ha descobert que el sexe estava tan passat de moda com les faldilles vichy o els pantalons de campana.

Et prometo que no et molestaré més, diu en Blériot, conciliador.

Però descobreix en les paraules i en l'actitud d'ella la influència d'un agent nou, d'un element químic desconegut que no el deixa d'amoïnar.

Estàs segura que aquest Murphy no té res a veure amb la teva indiferència cap a mi?, li pregunta aleshores, recordant l'escena d'ahir.

Absolutament segura, diu ella, amb la barbeta recolzada sobre els genolls.

En canvi, jo penso que estàs una mica deprimida i que ja trobes a faltar el seu amor.

No entens res, diu ella empenyent-lo. Trobo a faltar la seva innocència, però això, tu ni tan sols ho pots concebre.

En la seva mirada, una mica fixa, en Blériot hi veu passar de cop i volta com la nostàlgia d'un amor immaculat, alliberat de les realitats sensorials.

Ell en faria broma, gairebé, però en aquest instant ella se'l mira amb una gravetat tan infantil, que se sent despullat de la seva ironia, sense res més a sobre.

Tot el que se li acut contestar-li és que si en determinats casos el sexe pot ser una forma de pesantor, la soledat és, a parer seu, una pesantor segurament encara més gran.

Però prefereix aturar-se aquí, per por que la més mínima pressió afegida no provoqui una nova crisi.

Jo no t'he parlat mai de soledat, el reprèn ella de sobte, alçant-se i fent-li un petó als llavis, com si li volgués demostrar que d'uns misteris dolorosos sempre en poden sorgir esdeveniments alegres.

Es queden, doncs, una estona al llit; ella continua fent-li petons i ell l'acaricia sense destresa, però sense anar més lluny, en una estranya suspensió del seu impuls que els torna a fer vibrar un cop són al carrer.

Tinc una idea, li diu ella mossegant un croissant. Com que ara fa bon temps, m'agradaria agafar un taxi i anar a algun lloc a malgastar calés.

Si no vol passar per un esgarriacries, evidentment no pot dir que no.

És la meva manera de dopar-me, la meva energia particular, li explica ella quan són al cotxe. Tan bon punt tinc quatre cèntims, me n'he de gastar deu.

En Blériot, que sent el contacte dels seus genolls contra els d'ella, l'avisa que en general és així com un acaba arruïnat.

Però com que ell és des de tots els punts de vista un adult en rejoveniment perpetu, a qui no hi ha cosa que agradi més que les dones adolescents, tan immadures i irresponsables com ell, difícilment la pot acusar.

L'estalvi tampoc no és la seva primera virtut.

Quant al càstig subsegüent –targeta de crèdit confiscada, prohibició bancària i altres contrarietats–, ja sap que en comptes de fer-li posar seny, ella l'obligarà, a tot estirar, a trobar altres subterfugis, perquè encara li queda el recurs de regirar les butxaques a la seva dona o a en Léonard.

Tanmateix en aquests moments, l'avisa ell, no té ni un duro. Però sembla que amb el que ella ha guanyat a l'hotel, ja en tindrà prou.

Ell només demana creure-hi.

A causa de la seva compulsió a la repetició, es tornen a trobar a prop del carrer Du Bac i del bulevard Saint-Germain, en aquelles botigues luxoses i austeres on les venedores de mitjana edat tenen un gust pronunciat per les joves parelles malgastadores.

Sens dubte per desagreujar-lo de les seves penes, la Nora li compra un lot de corbates i una bufanda de seda, que evidentment no gosa rebutjar perquè s'imagina que ella s'ofendria.

M'encantaria ser molt i molt rica només per regalar-te coses, li diu ella mentre caminen junts al sol i el seu bonic somriure desfila per les parets com un fris del Partenó.

A mi, això és més egoista, m'agradaria ser una mena de gigoló de luxe que es passejaria en una immensa limusina i beuria Cristal tot mirant les noies. Sense pensar en res més.

Sí, pensaries en mi, li diu ella, i series molt desgraciat.

Després –senyal que no està gens disgustada amb ell–, la Nora el porta a un restaurant del carrer de la Universitat, on mengen en una sala buida un estrany peix amb gelatina i acompanyament de cítrics, i un pastís de xocolata.

En aquests moments, quan estan sols asseguts l'un davant de l'altre i ella se'l mira amb els seus grans ulls marrons, l'equació de la seva relació li sembla simple, gairebé natural: ell se l'estima i ella l'enganya. És així. Ja s'hi acostumarà com d'altres s'hi han acostumat.

Naturalment, tenint en compte que la seva perseverança serà la més forta, i que per més lluny que vagi en el seu engany, el seu amor l'atraparà sempre.

Aquesta condició, té la impressió que la podria firmar amb les dues mans.

Però s'ha de dir en descàrrec seu que ja està més que alcoholitzat.

El proper cop em toca a mi, li promet en Blériot quan surten del restaurant –el temps es gira i comença a ploure–, perquè, pretengui el que pretengui, no es deixa de sentir incòmode d'aprofitar-se d'aquesta manera de la seva generositat o de la del seu amant.

No pateixis, li crida ella a través del xàfec mentre les persianes i el porticons espeteguen damunt seu i el seu paraigua està a punt de sortir volant.

Sorpresos per la tromba d'aigua, es refugien al primer cinema que troben i passen gairebé tota la pel·lícula –al títol hi apareix Tòquio– dormint cap contra cap.

El final m'ha agradat molt, diu tot i així la Nora un cop són fora.

Ja són gairebé les cinc, observa ell melancòlicament. Vols que tornem a casa?

Més tard, quan esperen el taxi –ella segueix convidant–, en Blériot pretendrà que, a l'època en què ell era estudiant i ja insomne, només podia conciliar el son a les sales de cinema, amb una predilecció per aquelles que projectaven pel·lícules índies dels anys setanta.

Quina categoria, reconeix la Nora estrenyent-se contra ell al seient de darrere del taxi, al mateix moment en què el xofer, acompanyat per una gossa llagrimosa, els adverteix que la circumval·lació està tancada a causa de les caigudes d'arbres i que les vies ràpides que voregen el riu s'han inundat.

Aixequen el cap un moment, mentre assimilen la informació, i es tornen a besar. Però molt, molt lleugerament, com persones amoïnades de no pertorbar l'equilibri del planeta.

30

La Nora, amb pas oscil·lant, desfila sobre el llit amb una mena de vestit de volants mig transparent mentre en Blériot, assegut al parquet de l'habitació, consulta els seus missatges: la seva dona l'avisa des de l'hotel de Marsella que ja ha provat dues vegades de contactar amb ell a casa.

Trobes que em queda bé?, li pregunta ella mentre es mira de perfil al mirall. No trobes que m'engreixa?

En Blériot li fa que no amb el cap, mentre continua escoltant la veu de la seva dona, en qui no pot evitar de trobar una tonalitat lleugerament tensa.

Però prefereixes aquest o el vestit charleston ajustat als genolls?, insisteix ella perquè ha de fer una sessió de fotografies demà al matí.

Ni l'un ni l'altre, i no m'agraden gaire els fotògrafs, diu ell apagant el telèfon.

Deixa de parlar-me com el meu pare i digues-me què en penses.

No et parlo com el teu pare, tan sols et dic que un cop més, Neville, i potser un cop de més, t'emportaràs una gran desil·lusió.

El Senyor és el meu pastor, cantusseja ella tot ensenyant-li les cames, no em mancarà res allà on em porti.

Descoratjat, s'ha anat a estirar al llit i no diu res més.

Quines t'agraden més, les de la teva dona o les meves?, li pregunta ella fent girar els faldons del vestit com l'actriu d'*Els contrabandistes de Moonfleet.*

Però en Blériot no té ganes de parlar de la seva dona.

Li mira les cames una estona sense dir ni una paraula, després gira el cap de costat com un nen satisfet, amb els ulls esbatanats davant el crepuscle precoç i les gotes de pluja sobre el vidre.

Mentre ella es canvia de vestit i va a buscar una beguda, ell encén un cigarret i es torna a estirar al llit amb un cendrer i un braç passat per darrere el cap.

Si en termes matemàtics no hi ha cap diferència entre un instant i un altre, perquè tots són equidistants entre ells, això no vol pas dir que aquests moments de respir no siguin potser els únics que el fan del tot feliç.

La Nora, que no en sabrà mai res, torna amb un vestit negre de crepè de la Xina obert pel costat que li ha deixat la seva cosina, i li demana amablement de fer-li una mica de lloc al llit.

T'he portat unes patates i unes cerveses angleses, li diu ella, amb la safata a terra. Vols que t'ensenyi com em queda?

Per descomptat, sense sabates no farà el mateix efecte, l'adverteix ella, alçada sobre la punta dels peus.

No sembla adonar-se que en Blériot, estirat de través al llit, com un insecte tombat sobre l'esquena, ja li ha començat a explorar la part de dalt de les cames amb les seves antenes tàctils.

Francament, està la mar de bé, fins i tot sense sabates, li promet ell mentre li acaricia les cuixes ben llises i s'atura un moment.

En aquest instant, el seu sistema hedònic es troba efectivament en un grau tan brutal d'activitat que es veu obligat a bloquejar la respiració per no perdre el control d'ell mateix.

La Nora, és clar, ho ha aprofitat per refugiar-se a l'altra punta del llit.

Ben mirat, hauríem de fer emproves més sovint; ho trobo divertit, tu no?, diu ell en el to d'un home que anés a procedir a una enquesta qualitativa, per decidir si a partir d'ara ha de modificar el seu comportament o bé ha de perseverar en les seves intencions.

No estic convençuda que tinguem la mateixa idea de les emproves, contesta ella al moment en què en Blériot li agafa el turmell per fer-la caure al llit, amb la seguretat d'aquell qui sap fins on es pot anar massa lluny amb les emprovadores.

Després, evidentment, hi ha brega per treure-li el vestit.

Louis, ets realment insuportable, es queixa ella un cop més, i n'estic fins al monyo. Cada vegada et fas més pesat.

No pots pensar en una altra cosa?, li crida a la cara abans de llançar-se-li al damunt i colpejar-lo amb els punys mentre ell es protegeix amb els coixins.

Per sort, al cap d'uns quants minuts abandona el combat, potser per cansament o tan sols perquè té ganes que acabi.

Aleshores es queda estirada al llit, amb els braços en creu, i, tret de les calces angleses, està completament nua.

Hi ha lluites cos a cos que acaben pitjor.

Després, en Blériot es despulla amb calma donant-li l'esquena, com es fa als vagons llit, i torna a consultar el seu contestador, abans de desaparèixer discretament cap al lavabo.

Però quan en surt, s'adona que encara no està tot guanyat.

La Nora, que deu ser una campiona del transformisme, apareix ara asseguda en una cadira de reixeta, amb les cames encreuades, vestida amb texans i una samarreta blanca amb el retrat d'en John Lennon.

I jo, què se suposa que he de fer, mentrestant?, li pregunta mirant com ella posa a la cadira amb la revista de moda sobre els genolls.

Només la part de dalt, respon ella com si fos una recomanació tàntrica de la revista.

La part de dalt?, diu ell, incrèdul.

La part de dalt, repeteix ella alhora que es descobreix els mugrons foscos, color de móra, i s'hi atansa les mans d'ell.

Durant aquest temps, els seus llargs peus ossuts es queden sobre el parquet, el dret fregant distretament l'esquerre amb el dit gros, perquè deuen obeir a un altre circuit de pensament gens afectat per allò que passa a dalt.

No deixes de ser una noia increïble, diu en Blériot, sense poder recordar on ha llegit que les noies boniques tenen gairebé sempre els peus massa grans.

En aquest instant, ella li agafa la nuca amb els dits i té la boca enganxada tan a prop de la seva orella que de cop i volta distingeix, gràcies a la seva experiència d'investigador del sexe, un canvi en la seva respiració.

Com si després d'una llarga absència per fi retrobés el fil del seu desig.

Per por que ella el torni a perdre, evita dir-li res o fer el més mínim gest precipitat.

Tots dos es queden, doncs, a l'aguait, tensos, panteixant, mentre la foscor s'estén fins al fons de l'habitació.

En un moment donat, sense que hagin pronunciat ni una paraula –la cerimònia va perfectament rodada– li passa suaument el braç per sota les cames i ella es deixa aixecar i portar enlaire fins al llit.

Espera, Louis, diu de sobte escapant-se-li dels braços, esperem un segon.

Mira tranquil·lament com fuig cap al lavabo: espectre menut, natges blanques, riure de nena a la penombra.

La veu tan jove que en Blériot de cop se sent vell i contemplatiu.

Molt més tard, a força d'insistir, la Nora se li estira dòcilment sobre l'esquena amb els braços al costat del cos, acollint el seu desig, però sense reclamar-lo.

I tot d'una es fa el silenci, la mecànica es posa en marxa, ella alçada sobre els colzes, ell amb la boca adherida a la seva pell, baixant al llarg del seu cos amb la lentitud d'un ballet aquàtic, les cames ja fora del llit, sentint la fredor de l'habitació.

Després torna a pujar.

Mentre a fora les ràfegues de pluja colpegen els vidres, el temps sembla suspès.

La culminació retinguda sens fi.

Curiosament, al final, ella s'aixeca ben contenta i ell més aviat decebut. Cosa que tendiria a demostrar que la química humana no es preocupa per la recompensa en la retribució dels plaers.

Per consolar-lo, creu adient explicar-li un cop més, mentre pica unes patates fregides, que tot això no és realment important per a ella. En tot cas, no més important que menjar un gelat o passejar-se en bicicleta per París. No fa cap jerarquia.

No hi estàs d'acord?, diu ella acostant-li una cervesa esbravada.

Però en Blériot ja ha sentit prou coses per avui. Miren una estona la televisió, s'acaben una ampolla de vi a la cuina, abans de tornar-se a ficar al llit amb la seva fatiga comuna i els seus desitjos dissociats.

T'estimo, li diu ella quan apaga el llum. Ho sé, diu ell.

De vegades voldria que fóssim castos com nens, Louis.

Te'n recordes, de la carta que escriu Mellors a Lady Chatterley?

No, diu ell, esperant la continuació.

Now is the time to be chaste, li recita ella en l'obscuritat, it is so good to be chaste, like a river of cool water in my soul.

No trobes que és magnífic?

Sí, diu ell amb una veu feble.

Li voldria dir una altra cosa sobre la castedat, però ja no és el moment i se sent massa desanimat.

Aleshores li agafa la mà i es queden en silenci, arraulits com una bola entre els llençols, genolls contra genolls, nas contra nas com uns esquimals tristos.

31

En Blériot ha tornat a casa seva al carrer de Belleville, ha agafat la correspondència, s'ha canviat i ha fet un àpat frugal a base d'un ou ferrat i d'un iogurt abans d'adormir-se al sofà tot escoltant la ràdio.

Ara són les cinc de la tarda, truca a la Nora recolzat al muntant de la finestra mentre veu a la llunyania, per sobre del zinc de les teulades parisenques, un gran cel vermell del segle xix.

Sovint tinc la impressió de ser un home molt antic i desfasat, li confessa. Crec que en realitat no m'agrada gaire, la nostra època.

No ets l'únic, Louis. Jo sóc una noia russa del temps de Txèkhov, diu ella mentre omple una banyera d'aigua bullint. Estàs lliure aquesta nit, cap a les deu?

En principi sí, diu ell després de dubtar un moment. Després de Marsella, en principi la Sabine ha d'anar a Barcelona per feina.

La Senyora i ell viuen així, li explica ell fent el pallasso. La Senyora viatja, fa negocis, freqüenta l'alta societat i paga l'impost de patrimoni, mentre que ell, a París, es dedica a les seves traduccions de tres rals i viu de la caritat de la Senyora.

I de l'amor de la seva bella anglesa, intervé ella.

I de l'amor de la seva bella anglesa, si vols. En tot cas, fem una bona parella d'inadaptats, tots dos.

Potser només estem dotats per al sexe, assenyala ell. Cosa que no està gens malament.

Para, no hi tornis, amb això, protesta ella dins la banyera.

És només una constatació, diu ell girant-se i adonant-se,

tot d'un plegat per un cert soroll de tela, per un grinyol del terra, que hi ha algú al pis i que aquest algú probablement és la seva dona.

Dos minuts més tard, en veure la maleteta blava a l'entrada, la sang li arriba tan violentament al cor que es veu obligat a agafar-se a la porta.

Per què ja no dius res més?, diu la Nora en el moment en què ell penja. En aquest instant, donaria deu anys de la seva vida per poder esborrar tot el que li acaba de dir.

Però en el seu embogiment, té el reflex, abans d'anar-la a rebre, de posar una cara presentable, entre somrient i estranyat d'aquesta tornada precipitada.

Sóc a l'habitació, li diu ella secament.

No t'havia sentit, s'excusa en Blériot, que aquest cop ja no sap què fer-ne, de la seva cara.

L'espera palplantada davant la porta de l'habitació, amb l'abric de viatge encara posat. El proper cop picaré al timbre, observa ella, dirigint-li un feix de raigs negres que li recorden tot d'una la seva mare.

Sense que en principi hi hagi cap relació amb el que precedeix, en Blériot, que se sent defallit, ha començat a flexionar els genolls i inclinar-se cap endavant, amb els braços oberts, com un nedador que mira de fit a fit el buit des del trampolí.

Es veu els peus, els mitjons grisos, els pantalons arrugats, mentre el cor li batega cada cop més ràpid i se li enfosqueix el contorn de la visió perifèrica com si anés a tenir un desmai i a caure de cap a terra. Abans d'abandonar l'escenari.

Però encara és aquí.

Es deu haver tornat a posar dret repenjant-se a la paret. Ella se'l continua mirant amb una calma hipnòtica, i l'esquena recolzada a la porta, sense dir res.

Qualsevol dona al seu lloc exigiria explicacions immediatament o li tiraria una cadira a la cara, però sembla que la Sabine no és qualsevol dona. Aquest és el seu problema.

A causa d'aquest silenci que no s'acaba mai, creuríem que hi ha alguna cosa gairebé palpable, una angoixa magnètica en l'aire que els paralitza tots dos.

Durant uns quants minuts, es queden tan immòbils com aquells personatges dels frescos de Pompeia que es mantenen en suspensió, amb els ulls girats cap als bastidors, en direcció a una cosa invisible que ells són els únics capaços de veure.

Potser és la fi del món.

En Blériot s'adona ara que ella ho sap tot. Ho sap tot des del principi. Gairebé espera que li digui que faci les maletes, ordeni el despatx i marxi immediatament de casa. Però no ho fa.

Què em volies dir?, li pregunta ell amb la sensació d'estar en una escena paranormal.

En comptes de contestar-li, la seva dona deixa l'abric sobre el llit, es descalça i se'n va a preparar-se un cafè a la cuina com si ell s'hagués tornat transparent.

Quan la va a buscar per parlar-hi, ella agafa la tassa i es gira amb brusquedat cap a la finestra per tallar tota comunicació amb ell.

Sabine, em pots explicar què passa exactament?, diu ell adreçant-se a la seva esquena.

Per demostrar que té bones intencions, en Blériot li proposa inclús, en cas que ja no suportés més tenir-lo al davant, d'anar a viure a casa d'en Léonard i fer-se oblidar durant un temps.

No hi ha cap reacció. No obstant això, sap que l'explosió és imminent. Fa anys que té el dit posat sobre el botó vermell.

Són les teves mentides, el que ja no suporto més, comença ella aixecant-se de la cadira de manera teatral i dirigint-se cap a ell.

En aquest instant, tot d'una sembla que el cos de la seva

dona augmenta de volum i es torna superpotent, amenaçador, fins al punt que en Blériot, desbordat, no pot evitar un moviment cap enrere com si provés de ficar-se dins la paret.

Suposo, d'altra banda, ja que menteixes tant com parles, que a ella li dius tantes mentides com a mi, continua, aprofitant el seu avantatge, i que li arruïnaràs la vida de la mateixa manera que me l'has arruïnada a mi.

A en Blériot li agradaria tornar-li el compliment, però com sempre va una mica endarrerit.

Malgrat tot, posats a perdre, li agradaria, li diu ell sortint de la paret, fer un petit aclariment i recordar-li que si ha pogut arribar a mentir per tal o tal altra circumstància, han sigut mentides per omissió inspirades en la preocupació cap a ella i en l'amor que li professa. Encara que la faci somriure.

En realitat, ella no somriu gens ni mica. Se l'escolta en silenci, amb els braços plegats, amb alguna cosa fosca i compulsiva a la mirada que ell troba molt angoixant.

Segueix aleshores una pausa elèctrica durant la qual ell té la impressió de sentir la seva respiració.

Parlem-ne, del teu «amor», reacciona ella tot mirant-lo als ulls i fent el gest de posar cometes. Del teu amor a Niça, per exemple, quan em deixaves sola al carrer, davant d'un cinema, i desapareixies a la naturalesa.

Enfonsat, es diu en Blériot com si es tractés d'una batalla naval.

I del teu amor a Anvers, quan jo estava malalta amb quaranta de febre i tu parlaves hores i hores per telèfon amb la teva anglesa al pati de l'hotel.

Altre cop enfonsat.

Encara que recorda tan poc haver anat amb ella a Anvers que, durant algunes fraccions de segon, sospita que li instil·la falsos records per manipular-lo millor.

De totes maneres, ja no recorda res.

Té la sensació, des que ella ha tornat a casa per sorpresa, que va curt d'idees, com qui descobreix que va curt de diners. De manera que quan la seva dona el commina a triar –si no, en traurà les conseqüències que calgui–, ell triga un cert temps a comprendre de quina elecció es tracta i el que ella espera d'ell.

Sembla que la seva còlera, la seva pal·lidesa, els seus bonics ulls penetrants exerceixin sobre ell una mena d'ascendent sexual que l'ensopeix.

Sabine, digues-me tu mateixa què vols que faci, li demana ell, abatut pel seu sentiment d'inferioritat.

T'ho acabo d'explicar, primer em deixes de mentir i d'enganyar, i després veurem.

Perquè no podem continuar així, prou que ho saps, Louis, insisteix ella afluixant una mica la veu. Has de prendre una decisió d'una vegada per totes.

D'una vegada per totes, repeteix ell, afectat d'ecolàlia.

Per totes, li confirma ella.

Aleshores es produeix una nova pausa que en Blériot prova d'aprofitar –mira desesperadament les finestres de l'edifici de davant– per activar el seu dispositiu de protecció mental. Però la presència de la seva dona li impedeix concentrar-se.

Doncs d'acord, conclou ella estranyament mentre marxa de l'habitació, sense que sàpiga a posteriori si és una aprovació o un simple justificant de recepció.

Una hora més tard –és en un supermercat, amb els auriculars posats–, la seva dona li truca al mòbil per avisar-lo que els seus antics companys, la Marie-Laure i en Carlo Simoni, els conviden a sopar.

Torno de seguida que acabi, li promet, prenent consciència de sobte que un dia ja no li trucarà més i que no aniran mai més a sopar a casa de ningú.

32

L'hivern ja és aquí, diu en Max Barney, l'hivern del nostre descontentament.

I tot em porta a creure que també serà l'hivern del meu acomiadament, afegeix amb les mans encara enganxades al vidre.

En Murphy, assegut darrere d'ell, no contesta res, té l'esperit amoïnat pels senyals depressius que li envia en Max des de fa un temps –s'acaba de trobar un glaucoma i dues úlceres imaginàries.

Si en Borowitz no hi fos, penso que jo tampoc no em quedaria en aquesta agència, li acaba dient mentre observa el cel gelat.

El petit grup ensopit que formen tots tres amb la Kate Mellow es manté, com de costum, a una distància respectable dels altres companys, separats d'ells per una frontera invisible que travessa la cafeteria en la seva amplada i la divideix en dos microclimes oposats.

A l'altre costat d'aquesta línia, en aquest moment les dones joves de l'agència estan reunides al voltant de la màquina de cafè sota l'autoritat d'un nou mascle dominant, de nom Paul Burton, que d'altra banda es cuida molt de desanimar-ne algunes, girant-los l'esquena de manera ostensible –no hi ha evolució sense selecció–, tot animant les altres amb una broma o amb una petita atenció que no li costa gaire res. Es noten els anys d'experiència.

A propòsit d'això, la Kate els explica en veu baixa una història un pèl llarga sobre una amant d'en Burton, que en Murphy, poc propens a les xafarderies, se sorprèn escoltant amb paciència com si el seu propi desvagament interior el reconciliés amb la vacuïtat dels altres.

Però al cap d'una estona, acaba perdent el fil de la història i s'ensopeix dolçament mentre continua escoltant les veus de la Kate i en Barney.

L'arribada de la colla dels analistes posa fi a la seva tranquil·litat.

Tot fregant-se els ulls, en Murphy es pregunta, veient-los anar amunt i avall per la sala amb una ubiqüitat incansable, com s'ha pogut acabar dedicant als mercats d'operacions o als fons especulatius, quan en realitat ell hauria sigut molt més convincent com a professor universitari, i fins i tot com a predicador.

Però sembla que ja era l'home de les feines equivocades.

Per desgràcia, tot es va fer sense que ell hi pogués dir la seva.

Durant uns anys, uns anys radiants i immòbils, va estudiar a Boston les idealitats matemàtiques i les teories econòmiques de Keynes, fins al dia que, fent de la necessitat virtut –el seu pare s'havia arruïnat jugant–, va haver de prendre la decisió d'abandonar el seu empiri, establir-se a la Terra i guanyar-se la vida a consciència.

Ara ho té tot, menys la vida.

S'ha encongit, ha envellit, i si bé encara aconsegueix salvar les aparences, per dins s'ha convertit en una estàtua de sal. Com un home assecat per la nostàlgia.

Des de la nit en què la Nora va tornar a marxar a París i va desaparèixer del seu radar, els pensaments d'en Murphy Blomdale, tant si ho vol com si no, no han deixat d'anar cap a ella com moguts per una força física invariable.

Et recordes del que et vaig proposar ahir?, li diu de cop i volta la Kate, que seria un bon comissari del pensament.

No, confessa ell girant-se cap al seu costat –encara tem una mica els seus estats d'excitació.

Et vaig dir que havia convidat uns amics, uns antics companys del Barclays i que comptava amb tu.

En Murphy té l'amabilitat de no fer comentaris. Ella segurament ha cregut que el complauria. Mentre intercanvia unes quantes paraules més amb en Max Barney, ella continua esperant el seu consentiment, asseguda a la cadira, mirant-se'l amb aquella pietat, aquella tendresa amablement obtusa, que el desarmen del tot.

Si vinc aquesta nit, Kate, no em quedaré gaire estona, l'avisa en un reflex d'autodefensa, abans d'aixecar-se per anar a fumar a la terrassa.

De vegades, a en Murphy li agradaria que li expliquessin per quin desviament de la moral ens hem arribat a convèncer que una persona que ens estima té automàticament uns drets imprescriptibles sobre nosaltres.

Mentre prova de trucar a la Vicky Laumett, recolzat a la barana, observa a la llunyania els ponts i les gavines cridaneres que hi giren al voltant, angoixades per la gana.

Pronto!, fa una veu d'home adormit –hi ha dies que la vida s'assembla a un malentès planetari–. Pronto?

La Kate viu a prop de l'estació d'Euston –no gaire lluny de casa seva– en un petit pis fosc amb unes cortines dobles de vellut i unes fundes sobre els mobles que li donen un aire entre resclosit i fúnebre. A fora, se sent de tant en tant el soroll dels trens.

Et pots servir tu sol, li diu ella abans d'anar a telefonar a la seva habitació. En tinc per un minut.

Sense saber per què, en Murphy està convençut que truca a la seva mare a Baltimore. La seva mare devoradora que la vigila a milers de quilòmetres de distància, exigint-li que faci un resum detallat dels seus dies. Deu ser l'hora de la seva cita diària.

Mentre espera el final de la conversa, ha obert les cortines i mira per la finestra com els primers flocs voletegen sobre les vies del tren, i de mica en mica sent, com si la neu marqués el compàs del temps, que la tensió dels nervis es relaxa sota l'efecte d'un narcòtic.

El seu pensament, sense que se n'adoni, ja ha tornat a la Nora. Al seu primer hivern junts.

Ha tornat a aquell diumenge concret que baixen per un carrer nevat a les altures de Hampstead caminant amb compte, amb les puntes dels peus separades, en la penombra i el silenci.

Deuen ser les set o les vuit del vespre i totes les botigues estan tancades. No volen perdre l'autobús. Tot i així, continuen avançant, a desgrat seu, molt i molt lentament agafats de la mà, potser a causa de les clapes de gel que senten sota els peus o potser tan sols perquè caminem més a poc a poc en el passat que en el present.

Els altres aviat seran aquí, li diu la Kate, a qui no ha sentit sortir de la seva habitació.

Tu creus?, diu ell tremolant.

S'ha apartat de la finestra per ajudar-la a moure les cadires i portar les tasses i les copes al menjador, mentre la Kate li explica les baralles amb la seva germana, que viu a costa dels pares en un magnífic pis de cinc habitacions Newport i ja no es relaciona amb ella més que a través d'advocats.

Escoltant-la, en Murphy està cada cop més convençut que faria bé de trobar una escapatòria abans que no arribin els altres. Però alhora no s'atreveix. Perquè té bones raons per pensar que la Kate s'ho prendria molt malament.

Qui hi haurà dels teus amics?, li pregunta finalment amb una cara animada.

En Charles Grocius, de qui ja t'he parlat, en Quentin Bilt, s'atura un segon per deixar passar el rugit d'un tren, l'Édouard, la Franca, en Lippi, la Carol Kussli –que és una noia força sorprenent–, i una desena més de persones que tindràs tot el temps de descobrir.

Sense desprendre's de la bonhomia i del somriure una mica estereotipat, en Murphy coneix primer de tot en Quentin Bilt, tan auster amb el seu vestit de color antracita com un estudiant de teologia –sembla que és un crac de la informàtica–, però amb alguna cosa fresca i càndida que li crida l'atenció; després en Mike i l'Édouard, que resulta que són dos solters corpulents i xafarders, apassionats de les disputes de la família reial –comparats amb en Quentin Bilt són en Ximplet i en Xiulet.

Quant a la Carol Kussli, amb la seva motxilla i les botes de neu, té tota la pinta de la soltera esportista de quaranta anys, tota panxells, amable, dotada d'un bonic somriure alpestre, però que a la segona o tercera copa de vi se'n va a oferir a tothom la seva soledat tràgica.

Sembla que hi ha dificultats per trobar un voluntari.

En tot cas, no serà en Murphy, que s'ha retirat per anar al lavabo.

Que hi ha algú?, crida una veu d'home. Dedueix que deu ser en Charles Grocius, encara que Bertrand Russell hauria pogut dir el mateix.

En Murphy s'ha fet diverses vegades la reflexió que la vida en societat és com un viatge mal organitzat, amb esperes inacabables, converses avorrides, gent descarada i els lavabos sempre ocupats.

El que és segur és que no el tornaran a enredar. La propera vegada, passarà la nit a casa seva llegint l'Epístola als romans. Ara queda –sempre amb els seus eterns escrúpols– retirar-se discretament sense ofendre ningú.

Per sort, la Kate és al menjador acaparada per la Franca Lippi, una morena alta amb les cames encreuades que li explica que, després d'haver estat vint anys sense obrir un llibre, ara llegeix dues novel·les per dia com si l'haguessin trasplantat.

Quina bogeria, diu la Kate al moment en què en Murphy li fa un petit senyal per sobre l'espatlla de la Franca.

Al carrer no se sent cap soroll, la neu s'ha espessit sobre les voreres. Els flocs en suspensió sembla que giravoltin com papallones nocturnes a la llum dels fanals.

Després de dubtar un moment, en Murphy, molt content de ser lliure, es posa a córrer per la neu com si encara esperés agafar l'autobús de Hampstead.

33

Durant unes quantes dècimes de segon –deu ser el somni més curt de la història dels somnis–, una dona jove perseguida per tres amants (tots tres interpretats per en Blériot) es refugia a la teulada d'un edifici, on es manté en equilibri amb el cos inclinat sobre el carrer i una cama ja suspesa al buit.

En reconèixer la Nora, en Blériot es desperta de cop i volta, tot suat.

Obre un ull, entreveu la seva roba estesa a la cadira –ara la seva dona i ell dormen en habitacions separades–, l'ordinador apagat, els papers desordenats, les restes de menjar a la safata.

A fora, neva una mica. És un dia per quedar-se al llit i llegir un llibre sobre la jubilació a Rússia.

Pel soroll de les portes, intueix que la seva dona ja està a punt i que l'espera a baix.

Des de l'episodi de la trucada de telèfon, es veu obligat a aguantar-li els rampells, les llàgrimes, els silencis, els retrets, les crisis d'autoritat, fins al punt que la seva vida s'assembla cada vegada més a una prova de resistència.

Un cop s'ha llevat i alliberat dels fils del seu somni, com un passejant que s'espolsa en sortir d'un sotabosc, escolta una mica de música, després comença les anades i vingudes en la penombra de l'habitació buscant un mitjó introbable.

Cada vegada que passa en calçotets davant el mirall del lavabo, li fa la impressió de ser un iogui.

S'afaita meticulosament, i es passa un loció hidratant per les galtes abans de fer-se un llarg massatge a les temples. Gestos, tots ells, que li ha recomanat un metge naturòpata per combatre la seva ansietat persistent.

Tot seguit baixa les escales, l'ànim ombrívol i els nervis tensos, tement com sempre la reacció de la seva dona. Perquè no sap mai de quin humor la trobarà.

Guten morgen, es presenta ell sentint com la seva veu desentona en el silenci congelat de l'apartament.

Ella està d'esquena, posant-se les botes.

Podràs buidar el rentaplats?, li pregunta ella mentre intercanvien un petó asexuat al llindar de la cuina. Fa estona que hauria d'haver marxat.

En Blériot, que sent tot d'una que li passa l'ansietat, li promet que farà el que calgui.

Per cert, afegeix ella de passada quan obre la porta, per casualitat no em voldries pas acompanyar a Torí? Estic convidada a la retrospectiva de Pistoletto el mes que ve.

Pistoletto?, repeteix en Blériot, que té les funcions cognitives momentàniament paralitzades.

Quan s'ha refet, es veu obligat a invocar, com en el cas de Milà, una sèrie de traduccions pendents per, sobretot, no fer cap promesa. Ja que, donades les circumstàncies, la proposta li sembla més aviat incongruent.

Però prefereix guardar-se les seves impressions per a ell i deixar-la marxar a la feina.

Ara, pensant-ho bé, està convençut que aquest és un nou estratagema de la Sabine per mantenir-lo sota la seva fèrula fins al final de la seva penitència.

A causa d'aquella tristesa que ella li inocula cada dia en el cervell, en Blériot espera cada matí que la Sabine li proposarà de fer les maletes i cada matí ajorna el càstig. Per tal de fer-lo esperar una mica més amb els seus remordiments.

I el fet és que de tant pensar en la seva història i de tant passar durant tot el dia pel sedàs de la consciència les ficades de pota, les indelicadeses i les relaxacions múltiples que s'ha permès, en Blériot ha acabat per convèncer-se –deu ser la síndrome d'Estocolm– que no té sinó allò que es mereix.

Ara ell té la obligació, per reparar tot el mal que ha fet i en una absoluta rendició de la seva voluntat, de posar-se a treballar i buidar el rentaplats, procurant no barrejar els coberts de plata amb els d'acer inoxidable, fregar la pica i els vàters –és increïble com la culpabilitat ens torna servils– abans de fregar el terra, rentar la moqueta amb sabó i treure la pols dels mobles, fins que el pis es converteixi en un model de confort i quietud familiar.

A migdia, l'enrajolat de la cuina i del lavabo brillen tant a la llum matinal com si els hagués pintat un holandès.

Perquè en Blériot ho fa tot molt bé, emmotllat en la mateixa docilitat, en la mateixa submissió neuròtica a la seva dona que el seu pare a la seva –deu ser el karma dels homes d'aquesta família–, amb la mateixa rancúnia impotent i els mateixos gestos d'autopunició.

En aquests moments, quan va d'una habitació a l'altra amb el cubell i el pal de fregar, calçat amb unes espardenyes velles, sembla que veiem un pres condemnat a cadena perpètua –Sísif s'hi devia assemblar.

Una o dues hores més tard, en Blériot, desempallegat de la seva disfressa, pren una dutxa calenta i truca a la Nora per explicar-li el seu estrany somni.

Ha agafat el telèfon. Et trucaré més tard, li diu ella.

Mentre espera, es reescalfa unes restes del dia anterior i se les menja tan a poc a poc com pot, perquè se li ha ficat al cap –una altra de les seves excentricitats– que la millor resposta a la seva agitació és ingerir els aliments amb lentitud i fraccionar minuciosament cadascuna de les seves accions en una successió d'instants iguals.

Abocat als seus càlculs, escolta amb l'orella distreta el soroll del trànsit i dels martells pneumàtics a baix al carrer, que gairebé li fan enyorar l'energia de la vida exterior.

De vegades, de tant explorar cada centímetre del seu microespai sedentari, li vénen com unes ganes furioses de saltar amb els peus junts fora del cercle de la seva existència i de tornar a començar de zero. En un altre lloc, on sigui.

Però sense la Sabine i sense la Nora –que, sigui dit de passada, no li torna la trucada.

Després d'haver endreçat la cuina, en Blériot, que ha tornat a projectes més raonables, va dòcilment al seu despatx i encén les pantalles.

A més d'un article sobre els trastorns de la paraula, s'ha hagut de resignar a acceptar, de tan gran i desesperant com és la seva misèria, la traducció de les instruccions d'una nova gamma de màquines d'afaitar. A aquest pas, ben aviat traduirà tríptics turístics.

La nostra màquina d'afaitar, tradueix ell mentre continuen caient grans flocs de neu darrere la finestra, no ha de ser utilitzada per persones que no tenen l'experiència necessària per fer-ne ús, ni per persones que presenten facultats sensorials o mentals reduïdes –és literalment el que hi diu: reduced sensory or mental capabilities–, si no és que una persona responsable de la seva seguretat les vigila i els indica com utilitzar correctament l'aparell.

En cas d'irregularitats patents durant el seu funcionament, continua ell impertorbable, convé retornar l'aparell al servei tècnic més pròxim acompanyat del tiquet de compra –with the receipt of purchase.

Cal traduir-ho per creure-ho.

Però per consolar-se, es pot dir que ha tingut un dia més aviat productiu, ja que a més de netejar la casa pràcticament ha acabat la traducció –ja només li queden dues o tres quartilles.

Quan per fi acaba de treballar, en Blériot s'adona pel rellotge que només són dos quarts de cinc i tot d'un plegat se sent desorientat per la immensitat d'aquesta tarda.

Durant una estona, va d'un costat a l'altre de l'habitació, dominat per la mateixa mania ambulatòria que la seva mare, fins que el timbre del mòbil interromp oportunament l'anar i venir anunciant-li que té un missatge.

És un SMS de la Nora: I miss you more and more. Your girl.

Com podem estar enfonsats i ser feliços alhora?, s'estranya ell tot d'una mentre treu la cara per la finestra per sentir la humitat dels flocs i treure's de sobre la fatiga.

Quan la seva dona torna a casa cap a les sis, se'l troba exactament al mateix lloc, amb els cabells xops i el cap una mica inclinat de costat, com un cavall que dorm de peu.

34

L'endemà només va caldre que la Nora per fi li tornés a trucar, comminant-lo d'una vegada per totes a deixar de fer neteja i sortir amb ella –era el seu únic dia de festa a Roissy CDG–, perquè ell decidís sense pensar-s'ho que la seva penitència ja havia durat prou i hi anés immediatament. Com si a ella només li calgués fer petar els dits.

I tot va tornar a començar, l'esverament, les mentides, les cites d'amagat, les trobades a corre-cuita, l'amor insensat i irrevocable.

En general, no es veuen més d'una hora o dues i preferentment en terreny neutral, als grans bulevards o de vegades directament en ple suburbi, si es volen arriscar encara menys a ser reconeguts.

Tot seguit, com agents secrets experts en tota mena de subterfugis de la clandestinitat, es tornen a fondre en el teixit de la seva vida quotidiana, ella a la recepció de l'hotel, ell al domicili conjugal, on espera amb aire indiferent –res a les mans buides, res a les butxaques– que la seva dona torni.

Encara que una hora més tard s'espanti amb cada pregunta que ella li fa com si l'haguessin desemmascarat.

Sobre això, alguna cosa li diu que li convé mesurar bé les paraules, perquè no deixa de ser multireincident.

Alliçonat per les seves experiències anteriors, en Blériot sap que li cal estar atent amb tot: les trucades, els missatges, els tiquets dels restaurants deixats dins les butxaques, els extractes del banc, en fi, amb tot allò que un dia podria servir de prova incriminatòria.

De manera que la seva vida s'ha tornat un mecanisme de precisió mil·limètrica.

Però això, en certa manera, li agrada. Perquè fins i tot a banda de la seva afició pels misteris, li agrada la idea de pertànyer a una organització secreta amb la Nora i de formar tots dos una cèl·lula dorment, capaç d'activar-se i de desactivar-se en funció de les circumstàncies.

Aquest matí, mentre un gran sol d'Austerlitz s'ha llevat al suburbi, en Blériot, de sobte rejovenit –és una mena de desdoblament–, ha pujat en un tren, després en un autobús, per despistar, i s'ha de dirigit a peu cap als carrers nevats d'un barri de torretes, tractant, naturalment, de passar tan desapercebut com pot.

Quan arriba a l'altura d'una escola, passa pel costat de les bastides xopes d'una obra, després es fica, amb el coll aixecat, per un carrer d'escales vorejat de cases de rajola i de jardinets encara gelats, sense ningú a la vista. Ens creuríem en un angle mort del temps.

A baix, a dues passes de l'estació, veu el bar del qual li ha parlat la Nora.

Tret de l'amo i de dos vells parroquians que discuteixen amb veu baixa, tot seguint a la tele de sobre la barra la presentació dels cavalls a Vincennes, el local està completament buit. En Blériot demana una copa de bourgueil i s'asseu a prop de la porta, cames esteses, braços plegats. I amb totes les seves forces d'atenció concentrades en aquest instant buit.

En aquest estat de tensió i de lleuger avorriment, observa com les persones surten una darrere l'altra de l'estació i es dirigeixen a la parada de l'autobús, però no veu la silueta de la Nora.

Al cap d'una estona, marca el seu número, però sembla que és impossible contactar-hi. Ja són les onze i gairebé fa una hora tard. Hi ha dies que sospita que ho fa expressament.

La seva exasperació, multiplicada pel coeficient de l'ansietat, tot d'una li fa venir ganes d'aixecar-se de la cadira i de tornar a París.

El timbre l'atura.

Louis, sóc la mamà, diu una veu de dona tan càlida, tan sol·lícita, que durant uns quants segons està convençut d'estar tractant amb una entabanadora.

Però no. S'ha quedat a l'hospital una mica més d'una setmana.

Dos dies abans de marxar, el metge li ha donat una classe de química sobre les proteïnes i els àcids amínics i li ha receptat un antidepressiu nou –el Termex o el Temlex– que va de meravella.

Ara mateix estic passejant pels carrers de Nimes amb la meva amiga Jacqueline, la germana d'en Jean-Philippe Lamy, aquell que va succeir al doctor Bernard. I tu?, li crida ella al telèfon.

Tot bé va. Escolta, et tornaré a trucar aquest vespre, s'excusa ell precipitadament, en reconèixer a dues passes de la porta la noia cofada amb una gorra de llana que li somriu ensenyant les petites dents de davant.

És el somriure de la neu.

Amb el parquet de fusta fosca, la taula baixa, el ram de flors marcides i els lavabos esquifits, l'hotel té una vaga semblança amb un alberg oriental que hauria conegut temps millors. Les canonades fan un soroll infernal i els radiadors estan freds. Però ells se senten bé així, tots dos sols.

S'han posat a la finestra, galta contra galta, mirant de fit a fit, més enllà de les vies del tren, l'embull de torretes i de magatzems propi de certs paisatges de la perifèria. El cel és blau clar, gairebé blanc. A quasi tot arreu la neu s'ha començat a fondre com el passat i els corbs penjats als cables elèctrics es deixen caure com fulles mortes als parterres de les cases veïnes.

De tant en tant, mentre se sorprenen parlant per primer cop d'un futur en què per fi viuran junts, a la llunyania passen uns trens que la distància redueix a ones sonores.

Començo a tenir fred, diu la Nora tancant la finestra.

En aquest instant, encara no li ha dit res del seu viatge a Torí i una vaga intuïció el porta, inclús –sabent que és molt imprevisible i explosiva–, a atenir-se amb prudència a la seva política de *blackout*. A menys que ella mateixa no abordi el tema del seu futur amb la seva dona.

Tot esperant, en Blériot, que se sorprèn interiorment de la seva capacitat psicòtica per portar aquesta doble vida, s'ha despullat ben ràpid mentre ella encara està atrafegada al lavabo.

Véns?, diu ell mirant al carrer a través de la gelosia abaixada. Ella no respon.

Un cop estirat al llit, tanca els ulls i encreua les mans darrere el cap, i se sent dolçament emportat, com si estigués estirat enmig d'un riu.

En aquest instant, té el cor pur, els nervis a flor de pell, el sexe erecte com un adolescent, i té la impressió que no li pot passar res.

La Nora s'ha assegut per fi al seu costat amb calces i sostenidors, i la barbeta col·locada sobre els genolls.

Ara no, diu ella enretirant-li la mà. Ja t'he explicat que no m'agrada que et comportis així. It's bloody annoying, Louis.

Qui no arrisca no pisca, observa ell.

Això ho diu Leibniz?

No, ho he trobat tot sol, imagina't.

You are such a pain, Louis! Such a pain!

Aleshores, si no és ara, serà d'aquí a una estona, conclou ell, acostumat a prendre's les coses amb paciència.

De vegades, es diu que també podria ser al llit amb la reina

Ginebra. I que allò que perdria en el terreny dels sentits es convertiria immediatament en guanys espirituals.

Li ha acabat posant el cap damunt la falda i ja no s'ha mogut durant una estona, només dedicat a respirar l'aroma de la seva pell (argila blanca i morera negra, decideix ell tot furgant a la seva biblioteca memorística).

És curiós, parles com una noia que tingués quaranta anys d'experiència sexual al darrere, assenyala ell, abans d'alçar-se sobre les mans per tornar a la seva nuca olorosa i a les seves orelles com petxines, com a un punt fix del seu desig.

Saps, diu la Nora, apartant-se una mica, el meu contracte a Roissy s'acaba al mes de març i crec que em veuré obligada a tornar a Londres.

És una mania, assenyala ell amb un petit somriure.

Mentre ella li acaricia la galta, ell ha tornat a tancar els ulls i escolta la vibració obsessiva dels trens de suburbi.

Tornaré a París, per descomptat, li diu ella encenent-se un cigarret, però allà hi puc trobar tantes feines com vulgui. La meva germana coneix un munt de gent.

A més, estic segura que per molt que segueixi fent cursos durant anys, no seré mai la Nina Zeretchaïna, ni la jove Violaine, ni ningú. Excepte potser una criada anglesa.

Seràs la meva amant, Nora Neville, la meva única amant, el meu amor anglès.

Pot ser, però tinc ganes de deixar-ho córrer tot, li anuncia ella amb una veu desanimada.

Tan desanimada com si en uns quants mesos hagués fet el balanç de la seva vida i n'hagués tret conclusions.

Sembla que ni tan sols té amb què pagar els cursos de teatre.

Si només es tracta d'això, tinc tot el que cal, respon en Blériot agafant la jaqueta de la cadira i traient d'una de les butxaques, com per art de màgia, un bonic feix de bitllets de vint que desplega en ventall sobre el llit com una donada de pòquer.

És tot per a tu, insisteix ell tot acostant-los-hi.

Encara que sàpiga que per definició no podem comprar allò que no té preu, potser fa augmentar les possibilitats d'ajornar-ne la marxa un o dos mesos.

Te'ls tornaré aviat, li promet ella després de dubtar una mica. Vols que anem a sopar a algun lloc?

Seria una bestiesa, diu en Blériot que s'ha posat de bocaterrosa per agafar el rellotge de la tauleta de nit. Aquest vespre la Sabine és en un vernissatge, així que encara podem aprofitar l'habitació.

Tu n'assumeixes la responsabilitat, l'avisa ella mentre prova d'obrir el pany del bar, abans de rendir-se i d'anar-se a estirar tota despullada a sobre seu.

Coneixes el joc de l'ascensor?, li pregunta ella convertint-se de cop i volta en una parella tan dòcil, tan hàbil, que sembla una jove prostituta del KGB en braços d'un funcionari internacional.

Sembla que la comparació no la convenç del tot.

En realitat, potser tu ets l'espia pervertit i jo la petita funcionària enamorada, li diu ella just en el moment en què sona el telèfon. És el teu mòbil.

En Blériot, a qui li agrada fer les coses d'una en una, li recomana que, sobretot, no es mogui.

Deixen sonar el telèfon en el buit mentre ella es queda alçada sobre els avantbraços, immobilitzada en una mena d'estasi dolorosa que li emblanqueix els llavis entreoberts.

Tot seguit es dutxen i es tornen a vestir en dos temps, tres moviments. Són gairebé les nou.

A fora és nit tancada, el barri està completament silenciós.

Caminen l'un al costat de l'altre per sobre la neu fosa estosse-gant com gossos.

Quan arriben a l'andana de l'estació, el telèfon d'en Blériot torna a sonar. És la teva dona?, s'amoïna ella.

La meva mare, diu ell, fatalista. Li trucaré demà.

35

Amb una hora de diferència, la mateixa foscor humida ha caigut sobre Londres mentre en Murphy i la Vicky Laumett seuen l'un davant de l'altre en un bar de Blackfriars.

Ella, vestida tota de blanc com si anés a la seva primera cita, ell, molt més auster, amb el seu vestit fosc d'operador de mercat i la cartera negra col·locada sobre la banqueta.

Per molt que de vegades en Murphy Blomdale sembli resignat i que porti des de fa mesos una vida ensopida i autàrquica, el temps no ha pogut eliminar la seva necessitat de tornar a veure la Vicky, perquè segueix sent l'únic vincle que té amb la Nora.

Fins al punt que aquest vespre podríem pensar, veient-los xiuxiuejar, que són les dues últimes persones que parlen una llengua extingida.

El freqüentàveu sovint, aquest bar?, li pregunta ella.

Ella sovint em venia a esperar aquí, quan jo sortia de la feina i havíem decidit anar a sopar a algun lloc.

Ara, només hi ve el cap de setmana, gairebé sempre tot sol, li confia. Primer perquè no té gaires amics a Londres, després perquè també té ganes de ser-hi sol per si es donés el cas improbable que la Nora tornés i empenyés la porta d'entrada.

Segueixo sent un romàntic, es diverteix en Murphy mirant-se-la, meravellat amb la bellesa i la plenitud de les seves formes, però sense torbació, en tot cas sense gens d'excitació.

Confidència per confidència, la Vicky li confessa que per la seva banda ella es continua sobresaltant amb qualsevol timbre de telèfon, convençuda que sentirà per fi la veu de la Nora.

No sé si te'n recordes, li diu ella, d'aquell personatge de Bradbury, a *Les cròniques marcianes,* que té la particularitat de canviar de sexe i d'identitat tan bon punt es troba algú.

No he llegit mai Bradbury.

De fet, sense voler-ho, cada cop adopta el rostre d'aquell o d'aquella que l'altre espera des de feia anys. Com si es convertís en la projecció del seu desig.

Al final, tothom l'empaita i no és més que una silueta galopant, espantosament desgraciada.

En Murphy ha de convenir que podria ser una bona definició de la Nora.

Si estàs animat, afegeix ella amb malícia quan s'aixeca, sempre pots tornar a provar sort d'aquí a uns mesos, ja que segons la seva germana Dorothée, té previst tornar a Londres.

El problema és que ell no sap del cert si encara hi serà.

L'agència, li explica ell, ja ha acomiadat unes deu persones i podria ben bé ser que ell formi part del proper grup de despatxats i es vegi obligat a tornar als Estats Units.

Cosa que en aquest cas seria una doble mala sort, assenyala ell mentre l'ajuda a posar-se l'impermeable. Encara que, al fons d'ell mateix, sap molt bé que de totes maneres la seva relació s'hauria acabat extingint de mort natural amb el pas del temps.

Un cop davant de Holborn –ella ha agafat un taxi per tornar a casa seva–, en Murphy, protegit amb un paraigua, continua caminant cap a Islington, pensant en els seus fracassos i equivocant-se trenta-sis vegades de camí, quan un gos tan sol com ell, un gos pària amb una pota trencada i una orella mig penjant, es posa a seguir-lo de prop, arraulint-se tant com pot amb l'esperança de fer-se oblidar.

Deu ser el germà de l'altre.

Aquesta vegada, en Murphy decideix emprar mesures dràstiques de seguida i fer-li entendre de manera ferma i definitiva

–com de gos a gos– que no té res a proposar-li i que valdria més que anés a una altra banda.

És un esforç en va. L'altre es limita a fer una finta, espera que es torni a posar en marxa i després torna de seguida a estalonar-lo. I el segueix un altre, que tampoc no inspira gaire més confiança.

En Murphy arriba a pensar, en aquest instant, que deu tenir un aspecte tan còmic i tan desemparat sota el paraigua que tots els gossos, que no tenen gaires oportunitats de riure, el volen acompanyar un tros de camí.

Quan arriba al barri de Clerkenwell, en Murphy, sense arguments, es resigna a caminar una mica més, passant de biaix enmig de la multitud, com sant Roc seguit de dos gossos, i comptant només amb l'arribada d'un autobús per deixar-los plantats.

A casa seva, la Vicky s'ha despullat i s'ha ficat al llit sense sopar, mig marejada. En David encara no ha tornat. Ja s'ha convertit gairebé en un costum.

Com cada cop que li ve l'angoixa i l'angoixa de tenir crisis d'angoixa, es posa de costat, arronsant els genolls contra el cos, i es prem els ulls amb les mans, com fan els nens, per tornar a veure la Nora.

No la Nora de París, sinó la primera Nora, la de Coventry, quan encara eren maldestres, tímides i innocentment depravades, i quan, malgrat totes les seves precaucions, el seu amor es veia d'una hora lluny.

Aquella Nora que desapareixia durant uns dies i tornava a aparèixer a qualsevol hora amb la cara descomposta i feliç, dient-li: M'has esperat?

Segons ella?

La que li enviava una postal d'un museu francès, amb uns Amors i unes garlandes de flors: Avui t'estimo, li escrivia amb la seva petita lletra aplicada, subratllant avui.

La Nora a qui una vegada va esperar pràcticament tot un matí al peu d'una escala.

Fins al punt que aquest vespre encara té la sensació d'esperar-la –la imatge ha tornat–, amb les mans ficades a les butxaques de l'impermeable. Cada cop que la porta de l'edifici s'obre darrere d'ella, a causa d'un corrent d'aire, sent al pati la crepitació d'una pluja d'estiu.

El més curiós és que ja no recorda la resta de l'edifici, ni del barri –tot i així, totes dues encara vivien a Coventry–, només aquella escala fosca amb un passamà de fusta, com si la memòria se li hagués convertit en una escala de cargol.

Una escala que puja a les palpentes fins al tercer o al quart, ja que els últims pisos han desaparegut, devorats per l'oblit.

Quan arriba a dalt, la Vicky es veu fent el gest de trucar al timbre.

Ja dorms?, s'estranya el seu marit, encenent de sobte el llum que té a la tauleta de nit.

No, penso.

Perduda en les seves fantasies mnemòniques, no l'ha sentit entrar.

Em pots deixar, David?, li diu ella, perquè té pressa de tornar a la seva escala.

Amb un aire una mica contrariat, ell es treu les sabates i desapareix al lavabo sense fer comentaris.

Truca, doncs, un cop més, torna a baixar, després torna a pujar, sentint encara el soroll de la pluja al pati.

Ets tu? Què et passa?, pregunta de cop i volta la Nora per l'escletxa de la porta. (A la distància focal de la seva memòria apareix molt més petita que a la realitat, vestida amb una camisa que li arriba fins als genolls.)

T'esperava a baix. M'havies dit a les nou.

No puc. No estic sola, li xiuxiueja ella fent un gest amb el dit gros com assenyalant algú darrere d'ella.

Se sent estúpida. No ho havia entès, s'excusa. De totes maneres, no té la intenció d'insistir més estona.

No dona, diu la Nora estrenyent-li els dits, torna quan vulguis, t'ho explicaré tot.

A partir d'aquest instant, ja no es recorda de les paraules. Sembla que hagin tallat el so.

Només es torna a veure baixant els esglaons de quatre en quatre amb un malestar i en una angoixa d'abandonament tan grans, que li ve singlot.

Ni tan sols recorda les explicacions que la Nora li va donar l'endemà. Només l'escala i els ulls enterbolits de son de la Nora.

Potser els records són bonics per això. Perquè amb el temps, el filtre dels anys, es tornen com uns productes purificats, desempallegats de les escòries de la tristesa i de la por.

Ara tinc dret a ficar-me al llit?, pregunta el seu marit, que sembla que esperi el seu torn amb el pijama posat i la cara ni alegre ni trista.

36

La nit és alta i clara. Han apagat el llum i han sortit descalços al balcó.

Miren, a baix de tot, els carrers buits amb les fileres de voltes i les finestres ataronjades per l'enllumenat dels fanals –el seu hotel es troba al final de la plaça Vittorio.

En Blériot, deixant de ronsejar, s'ha inclinat cap la seva dona i s'ha posat a mossegar-li suaument les espatlles tot aixecant-li la part de baix de la camisa de dormir, com si es tractés d'un gest ritual de peniment i de perdó. Ella s'ha redreçat contra la seva mà, sense dir res.

Manifestament, està perdonat.

Encara es queden una estona recolzats a la barana, sense parlar-se, perduts en l'espai i la claredat del cel. De tant en tant, passen molt amunt, a penes perceptibles, uns filaments nuvolosos tan blancs com un líquid seminal –és una visió d'en Blériot– que es dissipen gairebé immediatament sobre les muntanyes dels voltants.

Estic contenta que hagis vingut a Torí, li diu la Sabine agafant una cadira i posant els peus a la barana.

Jo també, estic content de ser aquí, diu ell.

En Blériot, que sempre ha sigut secretament ciclotímic –ara és a la fase d'excitació–, de seguida ha tornat a besar-la i a estrènyer-li la cintura amb el braç esquerre –està assegut a la seva dreta–, fins que tots dos decideixen tàcitament tornar a l'habitació. Aleshores, ell li allibera els grans pits morenos de sota la camisa de dormir, i ella se'ls mira com si els veiés per primer cop.

Cosa que, de passada, tendiria a demostrar que malgrat la tensió extenuant en què viuen des de fa setmanes, tot no s'ha acabat, entre ells dos.

Un cop despullats i estirats al llit, les coses tornen a començar exactament com abans, com si no hagués passat mai res.

Retroben, de manera espontània, les mateixes paraules, els mateixos gestos, els mateixos procediments íntims a anys de distància –potser perquè el sexe és la reminiscència del sexe–, abans d'afluixar tot d'una la seva abraçada i de rodolar cadascú pel seu costat, amb el cos xop de suor.

Ara ni l'un ni l'altre ja no tenen forces per aixecar-se. Cosa que feia molt temps que no els havia passat, assenyala la seva dona.

Qui és aquest Michelangelo Pistoletto?, pregunta en Blériot per canviar de tema.

Sembla que seria massa llarg explicar-l'hi, però l'exposició era perfecta, amb unes obres que no havia vist mai.

En Blériot reconeix que hauria pogut fer un esforç. M'ensenyaràs el catàleg que has portat?

No sé si el catàleg et serà gaire útil, diu ella al cap d'un moment.

A mesura que la nit avança, les seves veus esdevenen cada cop més intermitents, com alimentades per un feble corrent elèctric.

Deu ser gairebé la una. Un corrent d'aire fa picar el batent de la finestra.

Tots dos es queden estirats al llit, amb les cames entortolligades, respirant la frescor de l'aire del carrer, mentre els sorolls de la nit de Torí van i vénen en la seva consciència en estat de dissolució.

Al matí, els desperta el telèfon. Hola?, diu algú.

Sí?, diu ell sense reconèixer la veu al telèfon, ni el número que surt a la pantalla.

Hola, hola?, repeteix l'altre com una mena d'ocell mecànic.

En Blériot penja, assaltat per un mal pressentiment.

Qui era?, pregunta la seva dona, que encara mandreja al llit.

Ni idea, li contesta saltant per damunt les maletes per agafar les seves coses.

Per una misteriosa transferència d'energia durant la nit, ell s'ha despertat revigoritzat, una mica sobreexcitat, mentre que la seva dona té l'aspecte d'una semiconvalescent sobre el coixí, té la cara cansada i els ulls inflats.

Estàs segur que no era ningú que coneguessis?, insisteix ella fent l'esforç d'incorporar-se sobre els colzes.

Del tot segur. No sap el que ella prova d'insinuar, però no té cap ganes de deixar-se arrossegar cap aquesta conversa.

D'altra banda, de vegades sospita que ella ha conservat sota un aspecte avantatjós –sociabilitat, confiança en ella mateixa–, un fons neurastènic.

La *colazione* arriba al moment just.

Es prepara un bany i es queda una bona estona submergit fins a les espatlles, amb les cames plegades i la pelussera de faune flotant en l'aigua escumosa, mentre sent parrupar els coloms a les teulades.

El cruiximent de les seves potes sobre les teules calentes.

Surt de la banyera prim i nu com ho serà al seu últim dia i s'afanya a beure una altra tassa de cafè abans d'anar a llegir el diari al sol. La seva dona es trobarà amb ell a la plaça.

A les dues dinen en un restaurant, a prop de les ribes del Po, on una desena de persones assegudes a contrallum sembla que dormisquegin a la cadira. Personalment, li agrada la calma aclaparadora dels diumenges a la tarda.

Darrere el vidre veuen uns tramvies taronges, de vegades taronja i blanc, que creuen el pont cap als turons.

Penses en algú?, li pregunta la seva dona en veure'l una mica absent.

En la teva angleseta?, diu ella a l'atzar.

Sembla que ella hi pensa més que ell. No, respon, no penso en ningú.

En Blériot ha renunciat a explicar-li que no estimem mai prou i que les necessita totes dues —a ella i la Nora—, i que si per desgràcia n'hagués de sacrificar una, perdria de seguida l'altra. És així com passa a les llegendes.

A l'interior de la seva doble vida, s'hi deu haver establert una mena de relació baromètrica entre les pressions que cadascuna exerceix sobre ell, gràcies a la qual ell ha acabat trobant una aparença d'equilibri.

Al capdavall, és una teoria com qualsevol altra.

Anant una mica més enllà, en Blériot estaria fins i tot disposat a sostenir que tots aquells que no han estimat mai dues dones a la vegada estan condemnats a continuar sent homes incomplets.

Com si ell no ho fos.

Convido jo, diu ell agafant el compte per demostrar-li de passada que potser no és tan aprofitat com ella es pensa.

A continuació, caminen enmig dels turons seguint el sol, en la frescor dels jardins i el silenci del vent.

De lluny, veuen el cim de les muntanyes encara cobertes de neu que els porta el record de la seva primera estada a Itàlia, fa cinc o sis anys, i de les llargues pistes de Cortina.

Si tornem altre cop a Torí, m'agradaria llogar un cotxe i anar a esquiar on tu vulguis, li diu la Sabine, que de sobte ha retrobat la dolçor, la indulgència i el dinamisme natural –les seves tres virtuts cardinals.

Segurament, perquè els pocs moments de plaer robat la nit passada han sigut tan benèfics per a ell com per a ella.

Queda esperar que hi hagi una altra vegada.

Travessen un poble fosc, tot seguit un altre, sense trobar-se mai ningú, ni amoïnar-se'n realment. Continuen caminant amb el mateix pas, espatlla contra espatlla, concentrats, silenciosos, com aquelles parelles filmades d'esquena per Mikio Naruse. Després tornen a baixar sense destí concret cap als marges del Po.

A l'altura del jardí botànic, compren uns gelats i seuen una estona a l'herba per mirar els remadors envermellits per les cremades de sol.

No em ve gaire de gust tornar de seguida a París, li confia ell tot llençant el seu cucurutxo a l'aigua. No ens podríem quedar una o dues nits més?

Però sembla que és complicat. La seva habitació només està reservada una nit.

Sempre podem provar de negociar-ho a l'hotel, suggereix ell.

Em sap greu, però s'haurien d'haver despertat abans, els assenyala amb un to agre el recepcionista italolibanès –la penúria d'amor és a tot arreu– mirant-se'ls de fit a fit per un ble de cabells.

Per acabar-ho d'adobar, la Sabine ni tan sols està segura que els seus bitllets d'avió es puguin canviar. Tot el que sap és que la sortida és entre les deu i les onze.

Sembla que de cop i volta tenen massa temps per davant però no suficient, com cada vegada que estan junts.

Al final de la tarda, els raigs oblics penetren per les voltes de la plaça il·luminant la terrassa antiquada on beuen uns vermuts, ell fullejant un diari, ella mig endormiscada a la cadira, amb les cames estirades al sol.

Aprofitant aquesta immobilitat, en Blériot, amagat darrere les ulleres fosques, la fotografia detingudament amb la mirada –ha pres la precaució d'aturar el temps retenint l'alè– mentre ella somieja, inclinant el cap de costat, amb els seus bonics cabells rossos recollits en un monyo sobre la nuca i el seu collaret negre que s'enrotlla pensarosament al voltant del dit.

Després, tot d'una deixa anar la respiració i el temps es torna a escolar, purificat, regular, mentre la remor dels carrers de Torí li omple novament les orelles.

Bé, i ara què fem?, li pregunta la seva dona tot deixondint-se.

En aquest instant, com un home que gira sobre ell mateix, en Blériot pensa tan fort com és possible de pensar que no la deixarà mai.

Doncs provem primer de trobar un altre hotel, li proposa ell.

37

Es desperta de cop i volta amb la sensació que la Nora està estirada al seu costat, arraulida com una bola. L'habitació encara és a les fosques. En Murphy Blomdale, aleshores, estén el braç de través al llit, com un amputat que busca el seu braç fantasma, sense trobar res més que uns llençols freds.

Però la impressió de la seva presència encara persisteix uns segons com una il·lusió sensorial de la qual no s'aconsegueix desfer.

Les visitacions de la Nora van tornar a començar fa unes setmanes, sempre a la mateixa hora del matí, entre les cinc i les sis, acompanyades de la mateixa descàrrega d'emoció, del mateix embalament cardíac –demostració que som màquines electroquímiques–, i seguides cada cop de la mateixa desacceleració brutal i depriment.

Ell que ja se'n creia desintoxicat.

Un cop dret, li costa posar un peu davant l'altre. Tot i així, aconsegueix obrir els finestrons i dirigir-se cap al lavabo a les palpentes per engegar la calefacció i deixar córrer l'aigua, redescobrint amb certa satisfacció la ingravidesa dels seus costums.

Encara que no sigui gaire donat a la introspecció, en Murphy s'adona perfectament –potser perquè no ha tocat cap dona des de fa mesos– que ara n'hi ha prou amb un somni, una simple pertorbació, una petita confusió de l'esperit al matí, perquè de seguida tingui el sentiment que s'esfondra com si la soledat l'hagués tornat porós.

Si és veritat, reflexiona ell mentre es vesteix, que en cadascú de nosaltres existeix un jo profund –un jo tan inesgotable com aquelles fonts amagades que no s'estronquen mai, ni tan sols a l'estiu–, ha de reconèixer que el seu està ben amagat. I que no està segur de poder-lo trobar un dia.

Mentre escruta mentalment el futur, en Murphy, recolzat a la finestra, té de sobte la impressió estranya, gairebé feliç, de ser un detall minúscul en el paisatge urbà, imperceptible a simple vista.

Ara, el dia s'ha llevat. Les merles emeten els seus trinats de fi d'hivern, mentre una llum groga llimona entra a Liverpool Road pels carrers transversals i enlluerna els primers vianants.

Abans d'anar al despatx, com de costum fa trenta piscines, interrompudes per unes quantes capbussades, i surt de l'aigua.

Com a home cast i taciturn, en Murphy evita mirar de reüll les poques nedadores que encara s'esbargeixen dins l'aigua i que de totes maneres no li fan gens de cas. Es vesteix, doncs, a corre-cuita i se'n va de la piscina, satisfet finalment de retrobar la cartera, el vestit de tres peces –ha optat per un teixit d'espiga– i l'austeritat bostoniana, com tantes petites restes de la seva identitat.

Aquest matí, els despatxos i els passadissos de l'agència estan tan buits com si hi hagués hagut una alerta d'incendi.

Després d'haver comprovat al rellotge que no s'ha equivocat i que són ben bé les nou, en Murphy, una mica desorientat, torna a pujar a l'ascensor i s'asseu a la cafeteria amb l'esperança que algú, amoïnat de no veure'l, el vindrà a buscar.

Mentre espera, agafa un brioix a la màquina expenedora i es posa a fullejar els diaris tot preguntant-se, sent com és un xicot paranoic, si els seus companys no han decidit posar-lo en quarantena.

Al cap d'una estona –va pel segon brioix–, la senyoreta Anderson, tota avergonyida de la seva materialitat corporal, arriba projectant els seus pits cap endavant per avisar-lo que la reunió ha començat i que aquest cop compten imperativament amb ell.

Ve o no ve?, s'impacienta ella.

Com si pogués escollir.

Allà hi són tots: els operadors de mercat, els canvistes, els corredors, els comissionistes, els juristes, els analistes –doscents caps pàl·lids d'empleats de banc–, tranquil·lament arrenglerats a les cadires de plàstic, mentre les xifres de pèrdues d'aquests dos últims mesos desfilen per la pantalla –nou milions, dotze milions, vint-i-dos milions i mig– com una allau al ralentí.

En John Borowitz, enfilat a la tarima, comenta els resultats tot agitant els reflexos argentats dels seus cabells com un director d'orquestra que dirigeix un assaig d'*El vaixell fantasma*.

Cal advertir que, en concret entre el 8 i el 25 d'aquest mes, deu milions de fons alternatius s'han esfumat, continua ell al micròfon mentre a la sala silenciosa les cares es desfan de mica en mica, perquè tothom està entenent que la sort ja ha estat tirada.

Els més desanimats ja han marxat de la sala.

Si vostè hi està d'acord, al mes de setembre o d'octubre l'enviarem a Filadèlfia, li deixa anar després en Borowitz amb discreció. Segueixo confiant en vostè.

En Murphy s'ha quedat mut.

Professionalment, no hi perd res, amb el canvi. Encara que hi ha altres factors, més personals, que li són bastant difícils d'explicar, donades les circumstàncies.

Al final del matí, la cafeteria, que habitualment és el centre neuràlgic de les confidències d'un milió de dòlars i dels trucs més o menys dubtosos, s'ha omplert tot d'un plegat de gent espaordida que dóna voltes amb el got a la mà.

En Murphy, acostumat a anar a la seva, demana dos cafès i se serveix un gran got d'aigua a la font reprimint-se la set d'alcohol, abans d'anar a consolar la Kate, que s'acaba d'assabentar del seu acomiadament.

Veus com valia la pena treballar tant i llevar-te a les quatre del matí, se'n burla ell amb simpatia.

Però aparentment, se n'ha fet a la idea. Sembla que en aquests últims temps –a més del clima detestable de l'agència– les converses dels seus companys l'avorrien tant que s'havia arribat a interessar per l'astrologia i per les princeses de les revistes, com si s'hagués tornat mig xaruga.

Mirant embadalit els trets sense encant de la Kate, en Murphy no pot evitar pensar en la proposta del seu cap, sense saber quina decisió prendre respecte a la Nora.

Diríem que només esmentar un retorn als Estats Units, l'angoixa li ha entrat per una porteta del cervell i ha començat a teixir la seva tela paralitzant.

S'hi veu tan poc, vivint i treballant a Filadèlfia...

En tot cas, si ha de deixar la plaça de Londres, sempre podrà dir com sant Pau que ell no ha arruïnat ningú, no ha explotat ningú, ni ha perjudicat ningú.

Això és a la segona Epístola als corintis.

La gent el pren per un beat, mentre que l'espera s'ha convertit, segurament, en la seva única religió.

Espero que ens tornem a veure abans que marxis, li diu la Kate amb el seu pobre somriure d'antiheroïna.

Encara no he marxat, li assenyala ell tot lamentant-se per dins de no haver pres una copeta de licor.

Sap que les mans li haurien tremolat de felicitat.

38

Ara estem a dilluns 11 d'abril. En comptes de calmar-se una mica i de provar de fer bondat durant uns quants dies, mentre aplaca la desconfiança de la seva dona, a en Blériot, tot just arribat de Torí, se li ha ficat al cap d'anar a fer una visita a la Nora.

La prova que la seva capacitat de desdoblament es manté intacta és que ja ha oblidat totes les resolucions que va prendre allà.

Sense voler escoltar la veu de la raó, ni fer-se més preguntes, ha marcat el seu número i s'ha convidat als Lilas el dimarts i el dimecres, ja que la Sabine ha de ser a Estrasburg.

A hores d'ara, sens dubte podem parlar de poligàmia caracterial.

Està travessant el jardí, la vereda xopa i les altes herbes que anuncien la primavera, quan ella apareix al llindar de la porta, amb la cara sorprenentment pàl·lida, el seu vestidet negre i el mòbil enganxat a l'orella.

I won't be a minute, li crida ella fent-li el gest d'entrar.

La llum rogenca de les set del vespre il·lumina una darrere l'altra les habitacions de la casa, fins al forat de l'escala. En Blériot s'asseu un instant al sofà del menjador, amb la mirada dirigida cap a la finestra com cap a un quadre monocrom, esperant que la Nora hagi acabat.

Segons el que pot sentir de la conversa, li fa la impressió que telefona a la seva germana, a Londres.

Torna a l'habitació deu minuts més tard, visiblement de

mal humor, amb un estrany somriure nerviós que sembla que floti davant seu, a uns quants centímetres de la seva cara.

Suposo que el viatge a Itàlia t'ha anat bé, assenyala ella d'entrada mentre li serveix una copa de vi.

Gràcies als seus apèndixs sensorials, en Blériot endevina de seguida que té ganes de barallar-se i se sorprèn tement la continuació –nota, d'altra banda, com una mena de formigueig a l'esquena.

En efecte, coneix massa bé la seva propensió als rampells i la seva penosa afició al psicodrama per no voler que les coses comencin a degenerar. A més, sospita que ja es troba en un lleuger estat d'embriaguesa.

Com que té pressa per aixecar la sessió, li proposa d'ajornar la discussió fins a més tard i anar a passejar pel barri per gaudir del sol en una terrassa.

Però no té ganes de passejar.

Encara no m'has parlat del teu viatge, insisteix ella llançant-li una mirada homicida que ell fa veure que no adverteix.

No hi ha res especial per explicar, era un viatge com qualsevol altre, respon ell, amb l'ull clavat a l'etiqueta de l'ampolla de riesling.

S'esdevé un llarg silenci durant el qual s'estan l'un davant l'altre, de perfil contra la finestra, amb una copa de vi blanc a la mà, en una calma fotogràfica que sembla precedir la tempesta.

Fent com si no passés res, en Blériot es dedica mentre espera a ajustar la imatge del televisor del menjador –reconeix el jove Ricky Nelson sobre el seu cavall blanc i negre– perquè per al seu gust és una mica massa contrastada.

Apaga'l, li mana ella tot aixafant el cigarret al fons del cendrer com si es tractés d'un escarabat, abans de servir-se més vi i de plantar-se-li al davant, tota carregada d'electricitat negativa.

Sense cap mena de dubte, reflexiona ell –ha reculat per prudència cap a la porta–, està dit que faci el que faci, independentment del que accepti concedir-li, no seran mai capaços de dur una existència normal, una existència tranquil·la, sense crisis, sense angoixa, sense bogeria.

Se suposa que havíeu de passar una o dues nits a Torí, comença ella, i us hi heu quedat quatre dies, potser fins i tot cinc. Això què és, estimat meu? Una nova lluna de mel?

Té la impressió que l'alcohol li ha pujat directament al cervell.

D'entrada, s'hi han quedat tres dies i no veu, encara que s'hi haguessin quedat un dia més, per què hauria d'estar ofesa, assenyala ell, ja que es tractava sobretot d'un viatge de feina.

De feina, s'ennuega ella mentre la còlera li contreu de sobte les faccions, li comencen a tremolar els llavis i va alçant la veu.

You are such a bastard, such a bastard!

En Blériot, tot i estar preparat per al que havia de passar, se la mira de cop i volta tan espantat com si li sortissin gripaus de la boca.

Es pot contenir i fer l'esforç d'escoltar-la, li contesta ell amb calma, si té cap cosa sensata per dir-li, però que, si és així, primer li prega d'abaixar la veu unes dues octaves perquè en aquest moment tot el veïnat els deu sentir.

El que li voldria explicar per la seva banda, continua ell, a condició que estigui una miqueta atenta, és que ja és prou desgraciat amb la seva dona, ja està prou cansat de totes les mentides que es veu obligat a dir-li per tenir necessitat que es fiqui a la seva vida conjugal. Ella no n'ha de fer res.

Que no n'he de fer res?, el reprèn ella, i què faig amb tu? Què fem junts?

Per què, segons tu, he tornat a París? Per trobar una feina d'estudiant? Per visitar els museus?

I continua així deixant anar les seves preguntes a la velocitat d'una metralleta i repetint-li per tercer o quart cop –cosa que no el deixa de preocupar– que, passi el que passi, estan units en la vida i en la mort.

No es tracta de dramatitzar inútilment, intervé en Blériot, que des de fa una estona espera l'ocasió de poder dir-hi la seva.

Només et parlo de les meves relacions amb la Sabine i del viatge que he fet amb ella perquè no el podia no fer.

Sí que podies, s'entesta ella.

Molt bé, sí que podia, admet ell. Però també pot callar, si ella ho vol, i canviar de tema, sabent que de totes maneres ella no suporta no tenir l'última paraula.

Ha anat a la cuina a buscar una altra ampolla de vi i a prendre's dues aspirines amb un cafè, perquè unes fiblades migranyoses li comencen a enfosquir la visió de les coses.

A dins de la nevera, hi descobreix casualment uns tomàquets i uns carbassons florits, unes salsitxes Knaki caducades i una costella de porc freda com la mort.

Com que el mal de cap el continua colpejant tan fort entre els ulls, en Blériot es posa un instant a mirar per la finestra, amb el cap tirat enrere, les platges de núvols lluminosos que desfilen sobre les teulades, i, de passada, absentar-se de la seva pròpia vida.

Però per molt que bloquegi la respiració i desconnecti concentrant-se al màxim en els límits del seu camp de visió, aquest cop el seu poder no fa efecte –no és la primera vegada–. Amb el cap fora de la finestra, encara sent darrere d'ell la veu de la Nora, que el segueix insultant a l'habitació del costat.

Mentre espera que es calmi, encara s'està una estona a la cuina com un boxejador recuperant-se entre dos rounds, assegut al tamboret.

Es increïble, constata ell, fins a quin punt aquesta noia el pot maltractar. Diríem que actua sobre ell com aquelles substàncies al·lucinògenes que ens dilaten les percepcions tot destruint-nos les cèl·lules nervioses.

I al mateix temps, sap que és incapaç de renunciar-hi i de marxar donant un cop de porta.

Sap, per conseqüent, que li haurà de continuar aguantant els crits, les recriminacions i les escenes de gelosia cròniques, i que tot això probablement encara durarà mesos, anys, fins que no els quedi ni una alenada d'amor.

Ho sap i ja no ho sap.

En realitat, ja no sap gens ni mica el que ha de fer.

Mentre ell li ha girat l'esquena per buscar el mòbil –el deu haver deixat a la butxaca de la jaqueta–, ella ha buidat pràcticament la meitat de l'ampolla tota sola.

Suposo que era la teva mare, diu ella. No, la meva dona, contesta ell traient-li la copa.

Encara que ell no sigui la persona més indicada per donar-li lliçons, de totes maneres es permet advertir-li que beu massa i que això no facilita gens ni mica la conversa.

Tu deixes de ficar-te al llit amb la teva dona i jo deixo de beure. Dóna-me'n que te'n donaré, diu ella agafant una altra copa amb un petit somriure entremaliat.

El problema és que fins que no es demostri el contrari ell i la Sabine encara són oficialment marit i muller i per tant, li recorda ell, estan obligats a viure com a tals.

Aleshores, procura que ja no sigui la teva dona i vine a viure a casa meva.

Tinc prou espai.

Ves per on, es diverteix ell, no hi hauria pensat mai. En tot cas, Neville, això s'assembla molt a un ultimàtum.

N'és un, li confirma ella.

A causa de les seves emocions diferides, en Blériot triga un cert temps a reaccionar i a dir-li el que pensa del seu procediment.

Perquè a pesar de tot, ell té dret a estranyar-se que una noia tan emancipada com ella, que té un amant a Londres i un altre a París, i que sembla que s'ha lliurat a una gran quantitat de nois –en general, més aviat dues vegades que no pas una–, ara li pugui retreure que convisqui amb la seva dona.

Em fas fàstic, Louis, em repugnes fins a un punt que no et pots arribar a imaginar, contesta lentament, gairebé d'esma, mentre ell pren de mica en mica la mesura del desastre.

No és el que volia dir, diu ell.

Em fas vomitar, Louis, you make me sick, continua ella, encara a poc a poc, abans d'explotar de sobte com sota l'acció d'una caldera emocional i de posar-se a cridar llançant-se-li a sobre.

Ell s'ha tirat enrere massa tard.

De cop i volta s'adona que li surt sang del nas i que ni tan sols duu un mocador a sobre.

Animada per un rampell d'odi, un desig de matar-lo o de desfigurar-lo, es desplaça al voltant de l'habitació a una velocitat esfereïdora, amb el braç estès com un sabre.

Està perdent del tot la xaveta, es diu ell, tot fent esforços per protegir-se com pot.

Louis, you make me sick, torna a començar ella després, recuperant l'alè, recolzada a la taula mentre ell s'eixuga el nas amb un tovalló. No has entès res.

Mogut per una mena de curiositat clínica, en Blériot se li ha apropat per observar-li la cara deformada, mig descomposta, que tot d'una li evoca la d'una entitat infantil, sorneguera i pertorbada.

Però què et passa?, li pregunta ell, cada cop més amoïnat, en el moment exacte en què ella agafa el telèfon i el colpeja en plena cara.

Ara li surt sang de la boca.

Abans que les coses no degenerin del tot, en Blériot li agafa el braç per fer-li una clau a l'esquena i immobilitzar-la contra la paret.

Ella es deixa caure a terra i ell té la sensació desoladora, veient-la així, desllorigada, d'haver disparat a una cérvola.

L'ha aixecada entre els braços. Ella s'ha acabat enfonsant al sofà, segurament abatuda per l'alcohol, i s'ha arraulit contra ell, posant la cara contra la seva i vessant tantes llàgrimes a sobre d'ell que sembla que plorin junts.

Estàs completament boja, li diu ell fluixet mentre li acaricia els cabells i ella continua plorant, amb la mandíbula penjant, com si digués que sí.

Amb ànims de reconciliar-se, ell s'ha aixecat per anar al lavabo a buscar-li un tranquil·litzant amb un gran got d'aigua que ella engoleix sense pestanyejar. Després s'han posat a la finestra.

Un instant de descans, un pobre i fràgil instant de descans, s'ha intercalat, doncs, en el contínuum del seu sofriment, durant el qual tots dos retenen l'alè.

Tornen a estar asseguts l'un al costat de l'altre al sofà del menjador, del tot silenciós, dominats per una por vaga, telepàtica, que ja sigui massa tard, perquè aquest cop han anat massa lluny.

És culpa meva, li diu per fi la Nora enfonsant-se els punys a les galtes en un gest d'automortificació.

No tinc dret a tractar-te així, afegeix, that's not a way to behave, abans de tornar-se a posar a plorar i d'acusar-se, sanglotejant com una nena, de ser mentidera, egoista, possessiva, destructiva –sobretot destructiva– i perversiva.

Perversiva és un defecte que no existeix en francès, la tranquil·litza ell mentre se'n va a buscar un altre got d'aigua i una tovallola per eixugar-li la cara xopa de llàgrimes i fregar-li el front i les temples amb una loció analgèsica.

Ara calma't i prova de dormir una mica, li aconsella ell, sense poder impedir –de fet, està tan malalt com ella– de mirar-li els petits pits palpitants, que pugen i baixen sota la tela del vestit.

Encara em desitges?, li diu ella de cop i volta girant cap a ell els seus ulls marrons molt clars, d'una claredat sense remei que li fa por.

No sé per què em preguntes això, es defensa ell, arraconat a la paret amb una erecció inesperada.

Perquè em faig la pregunta.

Se l'enduu a l'habitació, l'estira al llit i li treu el vestidet –es debat sense força amb les cames–, conscient que això no és en absolut el que hauria de fer, que no és la resposta adient i que, al contrari, ella s'exposa a estar encara més perduda que abans.

Però ell mateix està tan perdut que no veu quina altra cosa pot fer en aquest moment.

Més tard, enmig de la nit, en Blériot s'ha girat cap a ella i li ha xiuxiuejat a cau d'orella: Et deixo!, com una bala disparada a boca de canó –bang!– que li travessa el cervell adormit.

39

En Murphy no va dir res. Es va limitar a mirar com ella inclinava el cap mentre pispava unes cireres d'un plat de gres blanc que era a la taula del jardí. Els altres, això li sembla, parlaven al seu voltant de la recent conversió de Tony Blair a la santa Església catòlica romana.

En vol una?, li va oferir ensenyant-li el plat. Són perfectes.

Va estendre la mà per agafar un grapat de cireres negres i el braç dret li va fregar el d'ella sense voler.

No era res, però encara avui –és la seva faceta hipermnèsica–, en Murphy es recorda amb molta precisió d'aquell instant. En concret, del borrissol daurat del seu braç i de la lleu picor que va sentir en tocar-lo, semblant a un petit senyal elèctric.

Com que ella provava d'escoltar la conversa sobre Tony Blair i com que ell detestava Tony Blair, inclús com a neocatòlic, li va comentar que el seu vestit blau tenia uns matisos tan canviants com el vestit del temps que duia Pell d'Ase, i ella de seguida va tornar a entrar a la closca.

També li va dir, sense deixar que el desconcertés –li costa reconèixer-se–, que sempre li havien encantat les pel·lícules de Jacques Demy, tot ignorant d'altra banda si els francesos pronuncien demi o daimi.

Demi, va dir ella escopint un pinyol de cirera a la mà.

Amb el seu llarg coll i els seus ulls marrons, semblava tenir aquella mena de bellesa –però això, no l'hi va dir– que infon al cor dels homes la recança de les vides que no viuran mai.

Per tant, sabia a què atenir-se.

Això no vol pas dir que quan els altres es van aixecar per anar a passejar fins a l'estany i ella va començar a seguir-los ell no l'estalonés de seguida, assedegat de la seva frescor. Com si ell mateix fos un estiu tòrrid i melancòlic.

Caminaven en grups de dos o tres –en Tyron i els seus fills al capdavant– en la pau lírica d'una tarda anglesa, enmig dels cants d'ocells i del brunzit dels insectes.

En la seva memòria del tot subjectiva, li sembla que aquell dia l'aire era extraordinàriament lleuger, els arbres lluminosos, els corrents ràpids.

Es va acabar assabentant –ella no era precisament de mena loquaç– que es deia Nora Neville i que era la germana de la Dorothée, la millor amiga d'en Tyron.

Crec que treballa a la mateixa empresa que ell, va afegir ella assenyalant davant seu una morena baixeta que duia un vestit de flors i una mena de barret de palla rosa.

I vostè, acaba d'arribar de Londres?, li va preguntar ella per pura educació.

Ja no sap què li va respondre.

En aquella època, feia gairebé un any que vivia a Londres amb l'Elisabeth Carlo, i s'imagina que es devia mostrar força evasiu.

Però recorda molt bé que, sense haver premeditat res, es van trobar distanciats del grup capdavanter, mentre que aquells que anaven els últims amb en Max Barney devien haver girat cua o tallat camp a través.

En un moment donat, es van aturar davant d'una tanca elèctrica, impressionats pel silenci que regnava en aquell indret.

Un colla de cérvoles ajagudes a dalt del prat els observaven apassionadament per sobre la punta de les herbes, envoltades de cinc o sis llebres grises i d'un cavall negre amb unes peülles barbudes, com si totes les bèsties dels camps i dels boscos retinguessin l'alè al pas d'aquella noia, que potser prenien per la Julie Andrews.

Em fa por que els altres no ens estiguin esperant, li va dir ella amb veu baixa per no espantar-los.

Segons ell, com a màxim devien quedar un o dos quilòmetres per arribar fins a l'estany.

Fent camí –travessaven de biaix un prat verd, amb unes corbes tan dolces com les d'un camp de golf–, ella li va explicar que no feia gaire temps se n'havia anat a viure a França, una mica com qui va a la recerca d'un mateix –tenia avantpassats francesos–, i que després de vuit mesos a París no havia fet gaires avenços. Encara no sabia qui era, ni el que volia de veritat.

I què hi feia tota sola a París?, li va preguntar amb innocència, abans d'adonar-se que –per timidesa o estratègia d'evitació– tenia la curiosa mania de no contestar-li mai les preguntes directament i de no acabar les frases.

Sigui com sigui, pregunta rere pregunta, com en aquells jocs on s'uneixen uns punts numerats per formar un dibuix, en Murphy va veure aparèixer la imatge d'una noia rara, força inestable, alhora eixerida i estranyament taciturna –sembla que s'acabava de separar d'un noi–, amb un coeficient de narcisisme molt elevat.

Aleshores, per què no va fer marxa enrere? Què és el que no va funcionar en el seu sistema de detecció?

Per què cap senyal d'alarma no es va disparar per avisar-lo que patiria tant?

En aquell instant –s'havien retrobat amb en Tyron i el seu grup a la vora del llac–, el contrast entre les banalitats que tots dos es veien obligats a intercanviar amb els altres i la seva silenciosa intimitat segurament era massa nou, massa excitant perquè tingués ganes de veure-hi més enllà.

L'única cosa de la qual estava segur era que probablement vivia els seus últims dies amb l'Elisabeth Carlo.

Sabia que el trobaria aquí, li diu en Borowitz, que acaba d'aparèixer a la terrassa. Sempre es reflexiona millor a l'aire lliure.

No ho sé, diu en Murphy, encara perdut en el seu trànsit de records.

En tot cas, espero que prengui la decisió correcta i que pugui comptar amb vostè al setembre.

M'imagino que sí, contesta llançant una mirada circular a les teulades dels edificis –el cel és d'un blau oceànic– i a les façanes de vidre arrenglerades al llarg dels molls.

A l'est, a prop de Canary Wharf, les xifres de les cotitzacions borsàries continuen desfilant per la torre de l'agència Reuters com si no hagués passat res.

Llavors em quedo més tranquil. Estic convençut que tots dos ens trobarem a Filadèlfia, li diu en Borowitz estrenyent-li la mà amb força, de l'emoció.

A baix, els seus companys despatxen els assumptes corrents i comencen a preparar les seves caixes com uns funcionaris dimitits. La cafeteria està gairebé buida.

Des que han hospitalitzat la senyoreta Anderson –es parla d'una embòlia–, el seu despatxet sembla un museu on tot s'ha mantingut curosament intacte, l'ordinador, els llapis, l'agenda, el paquet de Lucky Strike i la foto del seu gat Pigalle.

Sembla que el buit s'afegeix al buit.

En Murphy passa la resta de la tarda, tens i entotsolat, classificant carpetes a la pantalla de l'ordinador, fins que la Kate Mellow arriba per sorpresa.

Oficialment, i durant divuit dies més, continuo pertanyent a aquesta empresa, li fa saber. Tot seguit, seu en un racó del despatx i li exigeix que li expliqui amb detalls els últims esdeveniments que l'afecten.

Crec que aniré a Filadèlfia, li diu ell amb un posat trist mentre desa les seves coses a la cartera.

Naturalment, la decisió és teva, però he llegit que a Nova York els antics agents de borsa es veuen obligats a vendre camises a can Bergdorf Goodman.

Aleshores vendré camises, diu ell quan ja són al carrer. De sobte, s'adona que té un missatge de la Nora (Murphy, I need you urgently).

Doncs sí que és a Londres, com havia predit la Vicky.

De camí cap a casa, en Murphy, reprenent els seus pronòstics analítics, es pregunta si la Nora tracta de fer-li entendre que el necessita en persona, o si tan sols és una manera maliciosa de recórrer a la seva caritat i de demanar-li dos o tres mil dòlars.

Si és així, com malauradament ell pensa, afegirà mil dòlars de bonificació, perquè entengui que la caritat sempre és més forta que la malícia i la venalitat.

Després, ella és lliure d'entestar-se a pensar el contrari.

Ell li haurà donat tot el que li podia donar.

40

Li ha trucat tot el dia, després s'ha resignat a deixar-li un missatge al contestador. L'endemà al matí, ho torna a provar a partir de les nou, sense gaire convicció, aquest cop trucant-li al número de casa.

Raymond speaking, ha contestat de sobte una veu d'home en un to cansat, abans de penjar, pensant-se segurament que algú s'ha equivocat.

En Blériot s'ha quedat un moment amb el braç estès, el telèfon s'ha convertit en un bloc de gel, després s'ha afanyat a posar-se a punt i ha anat a pas lleuger cap als Lilas, amb el sentiment de viure en una recapitulació contínua.

Un gran cotxe negre està aparcat, amb les portes obertes, davant l'entrada de la casa, mentre un home amb pantalons de pana està ficat fins a mig cos dins del portaequipatge.

A l'altre costat del cotxe, amb els braços carregats de paquets de roba, una rossa alta amb ulleres mira com ell s'apropa amb ull recelós.

La Nora, no hi és?, li pregunta ell, i tot seguit es presenta.

Crec que devia marxar abans-d'ahir a trenc d'alba. Quan hem arribat, la casa estava buida i la cuina en un estat abominable, li explica ella amb un petit riure sardònic que ell troba desagradable.

Sóc la seva cosina Bàrbara, precisa. És ben bé el que ell pensava.

Per damunt la tanca —les roses s'han marcit— sobre la gespa veu unes ampolles buides que sobresurten d'una caixa de fusta, al costat de munts de llibres i de revistes deixats a terra mateix.

En un segon pla, una gandula que no havia vist mai s'ha quedat al mig del jardí.

Raymond Hemling, diu l'home sortint del portaequipatge.

Tenen cap idea d'on pot haver anat?, els pregunta en Blériot mentre continua observant la gandula.

(S'imagina dient-li: De què et queixes, Louis? Has tingut el que volies.)

L'home i la dona es posen d'acord un instant amb la mirada, abans d'arronsar les espatlles per donar-li a entendre que, francament, aquesta és ara mateix la darrera de les seves preocupacions.

En bona lògica, hauria d'haver tornat a Londres a viure al pis de la seva germana o d'un dels seus amiguets, pronostica la cosina Bàrbara llançant-li una mirada inquisidora.

Però ell no ha remugat.

Al contrari, es mostra més aviat despreocupat, gairebé fanfarró, recolzat al capó del cotxe, amb un puret a la comissura dels llavis, mentre en Raymond sua la cansalada traginant les caixes.

Però sap perfectament –encara que en un altre lloc, en un altre circuit de la seva consciència– que és molt probable que no tornarà a veure la Nora als Lilas, i que, igual com les lleis de la probabilitat no són més negociables que les de la gravetat, ben aviat només li quedaran els ulls per plorar.

Mentre els observa com buiden la casa –què en volen fer?–, en Blériot sent brollar de sobte el seu sofriment com d'una artèria seccionada.

Després, surt a raig fet.

Només té temps d'allunyar-se unes quantes passes i d'ajupir-se per recuperar l'alè.

Au, bona sort, amic meu, li etziba amb sorna la Bàrbara en el moment de pujar al cotxe.

Al vespre, en Blériot està assegut en una habitació d'hotel davant el televisor, amb les cames estirades sobre el llit, el comandament a distància a la mà i tan mancat de reacció com un home en estat de mort cerebral.

Ha caminat en estat de xoc fins a les Buttes-Chaumont –en Léonard no hi era o dormia–, després ha continuat tot recte i ha entrat al primer hotel que ha trobat.

Ara, es beu una cervesa a galet mirant unes imatges de l'espai extraatmosfèric.

En el moment de tornar a pujar als seus coets, els dos astronautes giren sobre ells mateixos en la ingravidesa i es miren una bona estona –una llum vermell cobalt els il·lumina un instant les viseres–, després es fan un petit senyal amb la mà i cadascú torna lentament a la seva nau espacial, conscients que ja no es veuran més.

En Blériot ha apagat el televisor abans de llançar les seves sabates al parquet i d'estirar-se, amb el cap tirat enrere en la foscor, per somiar la seva desgràcia.

Amb els ulls mirant fixament la finestra blanca, es queda despert al llit, els braços al llarg del cos, turmentat per aquest pensament obsessiu, tan regular com una gota d'aigua caient dins una galleda: la Nora ha marxat i ell viurà sense ella.

Té el pressentiment que no se'n sortirà. Farà massa fred.

Es farà fosc a migdia i el vent àrtic bufarà pels carrers abandonats. Les canonades esclataran, l'herba creixerà a les esquerdes del ciment, la gent taparà totes les portes amb matalassos i, al final, els animals embalbits jauran per morir, sense haver conegut la Nora.

Així serà el món sense ella.

En aquest estat gairebé al·lucinatori, troba la força d'aixecar-se per anar a la finestra a aspirar una mica d'aire fresc –la pena li ha fet venir nàusees–, mentre a l'altre costat del bulevard, al món adormit, el metro aeri il·lumina el fullatge dels arbres fins a Stalingrad.

Mirant a través de la foscor, en Blériot es fixa que hi ha un taxi aparcat a baix, al carrer, amb els llums de posició encesos i la porta del davant entreoberta, mentre el motor continua funcionant.

Potser ella l'espera a dins.

Hi hauria d'anar, es diu ell a destemps just quan el cotxe arrenca –la nit es torna a tancar darrere d'ell.

Com que la desesperança té la seva acceleració pròpia, tot seguit en Blériot cau en una mena d'estupor, estirat de través al llit, mentre se li posen a espetegar les dents com si rigués.

01.07, marca en aquest instant la pantalla digital.

El pic de la crisi deu haver passat. Unes persones tornen a la seva habitació. Sent a intervals el soroll de l'ascensor que puja i baixa com un pèndol hipnòtic dins la seva caixa envidrada.

Sense adonar-se'n, s'ha posat de bocaterrosa amb els dos braços estesos davant seu a banda i banda del coixí, com un nedador equipat amb un tub respirador que solca picant de peus suaument unes aigües negres i silencioses, abans d'endinsar-se a poc a poc en unes fosses pelàgiques.

Es desperta a trenc d'alba amb els músculs encarcarats a causa de les seves proeses natatòries, i de seguida marca el número de la seva dona –ja que encara està casat– per por que no l'hagi sortit a buscar. Deu haver apagat el mòbil.

Mentre espera a tornar-li a trucar, en Blériot mira el llit buit amb la forma del seu cos dibuixada al clot dels llençols com si agafés una empremta de la seva desaparició. De seguida es torna a adormir a la cadira.

41

Quan torna a casa i es troba al menjador davant la seva dona, té la sensació estranya, glacial per la seva precisió, d'haver arribat massa tard.

Tot intercanviant una abraçada una mica rígida, en Blériot li llegeix a la cara una expressió de tristesa i de solemnitat que l'espanta.

Està asseguda de costat a la vora del sofà, amb les mans planes sobre els genolls i els ulls amagats darrere les ulleres negres, aparentment esperant que li doni explicacions.

Pel seu silenci, en Blériot intueix que passarà un quart d'hora desagradable i que aquesta vegada no hi haurà escapatòria.

Ahir a la nit, comença ell tot aclarint-se la veu, em vaig trobar molt malament i vaig preferir no tornar a casa. Vaig agafar una habitació d'hotel al barri de Stalingrad. En realitat, estava del tot perdut.

Qui té dues cases perd el cap, li recorda ella, gairebé animada.

Suposo que la teva bonica anglesa era amb tu.

Fa que no amb el cap mentre alguna cosa fosca i freda el travessa com un record desolador.

Justament, es defensa ell amb una mena de sobresalt, sobre la Nora, li n'ha dit seguramen massa o no prou.

De fet, s'han separat per sempre i és la raó per la qual –almenys per una vegada, no li menteix– ahir a la nit no va tenir forces de tornar a casa.

Se suposa que t'he de consolar?, li pregunta ella aixecant-se per agafar el seu paquet de cigarrets.

En Blériot torna a fer que no amb el cap, conscient que ja no hi haurà consol per a ningú.

A més, des de fa una estona té la sensació que un clima de desesperació generalitzada flota damunt seu.

Saps, Louis, mentre t'esperava aquesta nit he pres una decisió, li diu ella aleshores, amb un to tan greu que a ell se li fa un nus a la gola.

Una decisió difícil, perfectament unilateral i la responsabilitat de la qual m'incumbeix només a mi, reconeix ella, però he patit massa i a partir d'ara tinc ganes d'estar tranquil·la.

Mentre ella esbossa un balanç sumari de la seva vida en parella i del fracàs que n'ha resultat, en Blériot se l'escolta sense fer cap moviment, recolzat a l'envà, amb els músculs paralitzats, sentint com la sang li passa gota a gota per les venes.

Compta els segons.

Per ser del tot sincera, li diu ella, hi va haver una època en què em vaig penedir de no haver tingut un fill amb tu, però ara ja no, penso que hauries sigut un pare lamentable.

Sabine, ja no saps el que et dius.

És veritat, ja no sé el que em dic.

En tot cas, conclou ella, he decidit que quan torni de casa els meus pares –hi he de passar dos o tres dies– hauràs fet les maletes i marxat del pis.

Sincerament, és la solució que em sembla més raonable per a tots dos, afegeix ella pronunciant cada síl·laba amb claredat.

Dos o tres dies, repeteix ell, enganxat a la paret pel dolor com una papallona cremada.

I després?

Hauran estat junts deu anys, menys dos o tres dies.

Si vols cafè, n'hi ha sobre la taula, li diu ella.

És evident que l'esdeveniment amenaçador feia temps que

els projectava l'ombra al damunt, però en Blériot sempre feia veure que no la veia.

Malgrat el seu pessimisme o el seu cinisme, no es podia creure de veritat que un dia se separarien i que ells tampoc no escaparien a la banalitat desoladora d'aquest final.

Fet i fet, no som més llestos que els altres, li diu per desviar-la un moment dels seus projectes i encetar un debat desapassionat sobre les incerteses de la vida conjugal.

No he pretès que fóssim més llestos que els altres, li respon ella mentre es torna a pentinar davant el mirall del lavabo.

Només érem més desgraciats. És precisament el motiu pel qual no rebíem mai ningú. No te'n recordes?

Se'n recorda.

El que troba absurd i injust, li diu ell, parlant amb una lentitud intencionada, és que se separaran en el precís moment en què ell està curat, penedit, i podrien tornar a començar junts, aquí o en un altre lloc, en l'estranger.

Però ens hem passat la vida tornant a començar, l'interromp ella, saps molt bé que només són paraules.

M'equivoco o no m'equivoco?

En Blériot és darrere d'ella, assegut al cantell de la banyera, i en aquest instant tots dos es miren al mirall. Cadascú observant fixament el reflex de l'altre com si s'adrecés al seu doble, a aquell a qui ha estimat i perdut i del qual busca la mirada en la profunditat del mirall.

M'has de dir res més?, li pregunta ella amb una veu neutra.

No, reconeix ell, amb la impressió de sentir aquell petit clic que assenyala que el present s'acaba de convertir en passat.

Només una paraula, reacciona ell a l'últim moment.

Es voldria excusar, abans que ella marxi, d'haver-la estimat tan malament, i li promet que l'esperarà tant de temps com pugui, durant anys si cal.

Però tot això ja m'ho has promès moltes vegades i, de totes

maneres, ja no tinc ganes que m'esperis, li confia ella apartant-se'n.

No deixa de ser dur per a un sol home, assenyala ell amb un somriure forçat, ser acomiadat i expulsat alhora.

És així, fa ella mirant-se'l de cop i volta, sense còlera, sense retrets, però sense voler que ell digui ni una paraula més.

Aleshores ja no diu res més.

Bé, m'he d'afanyar, li anuncia ella com si la causa fos vista per a sentència i tingués una altra cosa a fer.

A fora, les ràfegues de pluja i la llum grisa sobre el carrer de Belleville augmenten ara l'atmosfera de desfeta que regna a tot el pis.

En Blériot, que s'està a la finestra sense saber què fer amb la seva persona, encara està temptat d'aturar-la, d'agafar-la per la cintura i besar-la, però entre la lentitud de la seva reacció i la pressa amb què ella fa la bossa, es fa palès que ara el temps es mou a dues velocitats diferents i que té poques possibilitats d'atrapar-la.

Sabine, torna!, crida absurdament a l'escala. Pel seu aire estranyat quan ella gira el cap, comprèn, de sobte, que ell ja no existeix per a ningú.

Al final —el taxi ha marxat sota la pluja—, es troba encorbat al lavabo, amb els pantalons abaixats i la llengua penjant com un gos.

Al final de la tarda, ha deixat de ploure. El seu immens veí africà i un dels seus amics han tret el cap per l'obertura de la teulada com dos astròlegs.

Feliços, els astròlegs.

En Blériot contempla durant aquesta estona les coses de la seva dona esteses al voltant d'ell, les bosses, les sabates, els munts de carpetes, les capses de fotografies, el catàleg de Pistoletto, amb el sentiment d'un malbaratament espantós.

Aviat marxarà del pis de puntetes, deixant-li una nota de comiat sobre l'escriptori i tornant-li les claus al conserge, i després ja no quedarà res de la seva vida en comú, absolutament res, com si la trobada de les seves dues trajectòries només hagués sigut una il·lusió òptica.

Potser, després d'ells, només subsistirà la seva desgràcia, com un cos suspès en l'aire de les habitacions.

Sense haver decidit encara on anirà, en Blériot, que no té ganes de quedar-se ni un minut més en aquest pis, entatxona les seves escasses possessions dins una maleta, més uns quants efectes personals, un ordinador i dos diccionaris que es queda —ella ja s'espavilarà— abans de deixar la maleta al portaequipatge del cotxe i fer mitja volta.

Quan surt del garatge, la pena li cau a sobre com una làmina de llum. Gairebé l'havia oblidada.

El cel torna a ser blau, l'aire primaveral.

S'atura un moment a la plaça de la República, mentre s'asserena i s'ajusta els auriculars —si més no, li queda Massenet—, després es dirigeix a passes lentes, circumspectes, cap als Grans Bulevards tot veient com la seva imatge desapareix a l'ombra dels aparadors.

42

Entre dues actuacions, potser et vindré a veure a Filadèlfia, li diu ella tot agafant-li la mà.

En Murphy ha obert la boca per parlar, després ha callat, desconcertat.

Li sembla tan desconeguda, en tot cas tan diferent de fa uns mesos, que es veu obligat a fer, de pressa, tot un seguit d'ajustaments i de transposicions per retrobar el fil de la seva història.

Caminen l'un al costat de l'altre pels passeigs del Hyde Park, enmig dels parterres plens de narcisos i de flors de safrà, mentre més avall unes parelles matineres passegen en barca pel Serpentine.

Sembla que la Nora no hi para atenció.

Des de fa poc, li parla dels seus projectes d'actriu –només a Londres ha vingut a fer una escapada– i de les personalitats que freqüenta al món del teatre i amb les quals sembla que tracta de tu a tu.

La teva paciència per fi serà recompensada, la felicita ell tot esforçant-se a somriure-li amablement.

En Robert Wilson, li confia ella amb aires de conspiradora, li ha telefonat des de Nova York per anunciar-li que volia, fos com fos, que interpretés el paper d'Anne-Marie Stretter aquesta tardor.

Segurament és imperdonable, però no tinc ni idea de qui són l'Anne-Marie Stretter ni en Robert Wilson, s'excusa en Murphy.

Després, si tot va com ha previst, continua ella sense escoltar-lo, serà la jove Violaine a l'Odéon.

La jove Violaine a l'Odéon, repeteix ell com un eco, mentre

té la impressió de sentir la rotació glacial de la Terra sota els seus peus.

La veu de la Nora, la seva excitació, la seva cadència inquietant, li recorden de sobte una determinada època de la seva vida en què els mals humors i els moments d'abatiment eren succeïts tot sovint per uns accessos d'alegria una mica exaltada que ja el feien patir.

Retrospectivament, en Murphy s'adona que en realitat sempre li ha semblat preocupant.

Encara que en aquest moment no acaba de saber, per culpa de la seva barreja habitual d'incertesa i de temporització, si li ha de dir la veritat amb amor, com recomanava sant Pau, o si l'ha de deixar amb les seves divagacions, esperant que una engruna de sentit comú la faci tornar un dia a la realitat.

Nora, pateixo una mica per tu, li diu ell finalment.

Patir per mi?, s'estranya ella. Per què ho dius, això?

No ho sé, és una intuïció, diu ell negant-se a donar explicacions, mentre continuen caminant l'un al costat de l'altre pels parterres.

Per primer cop des que la coneix, en Murphy ja només té davant d'ella un sentiment de pietat i de desànim. Malgrat la seva pal·lidesa d'anorèctica, ha conservat una mena de bellesa punyent que el destrossa.

Li agradaria poder-se dir que ella ha fet amb la seva vida allò que ha volgut i que ja no és el seu problema.

Li està explicant —segurament és per això que el volia tornar a veure— una història confusa sobre uns honoraris que encara no ha cobrat i un lloguer que ha de liquidar sigui com sigui sota pena de perdre el pis.

És una quantitat gaire gran?, la interromp ell, frisós d'abreujar el cara a cara, tot provant de fer-li entendre que ell tampoc no es dóna la gran vida.

Dos mil cinc-cents, diu ella abaixant la veu.

Si vols, te'n puc donar una mica més, li proposa ell traient el talonari.

Durant dos segons, dos petits segons de consol, li veu als llavis la irradiació del seu somriure.

Després s'ha acabat.

La seva història és darrere d'ells.

Després d'haver-lo obsequiat amb un petó de pura formalitat, la Nora marxa i en Murphy, amb un encongiment de cor, se la mira detingudament com camina a través del parc, girant el cap a tots cantons com una cornella desorientada.

Amb la motxilla penjada a l'espatlla, voreja les reixes del parc sentint que el vent humit se li enreda per les cames. Tret d'alguns passejants matiners, les Buttes-Chaumont estan buides, els gronxadors tapats amb una lona, els jardiners enfeinats amb les seves plantacions.

Són una mica més de les nou. En Tannenbaum l'espera al replà amb bata d'estar per casa i el cos inclinat per sobre la barana.

Blériot, reiet meu, passava ànsia per tu. Per què no vas venir ahir al vespre? Saps que he de marxar.

Ara t'ho explico.

Les maletes estan amuntegades al passadís, i les claus pengen en un lloc ben visible darrere la porta, amb les instruccions dels aparells i els números de telèfon en cas d'urgència.

He avisat la portera, et portarà la correspondència. Ara ets a casa teva, li diu amb un to paternalista en Léonard, deixant-se caure en una butaca amb una petita ganyota de dolor.

En Blériot es fixa en les seves cames inflades, el seu coll de canya, les seves grans orelles transparents com unes orelles de cera, però no fa cap comentari, ni prova de persuadir-lo d'ajornar per a més endavant el viatge, quan es trobi millor.

Perquè sap que no es trobarà millor.

Parla'm més aviat dels teus desenganys amorosos, li diu en Léonard, que li està endevinant els pensaments.

Te'n recordes, que sóc el teu director espiritual oficial?

Encara que ben mirat, així de bon matí, en sortir del llit, amb la seva bossa i els seus diccionaris sota el braç, francament no té ganes de confessar-se.

Primer m'agradaria que em fessis un cafè, Léo.

I doncs?, diu el seu director. Saps que tinc curiositat i que no et deixaré anar així com així.

És una història esgotadora, li diu en Blériot, que prefereix començar directament pel final: ara és un home solter, abandonat per la seva amant i expulsat de casa per la seva dona –sempre ha sabut que la revenja de l'una portaria a la de l'altra–, i té per primer cop la impressió d'haver tocat fons.

Cal dir que és una experiència difícil, però instructiva, reconeix.

Veus, estimat meu, em temo que no entenc gaire la teva melancolia heterosexual, diu en Léonard. És ben bé que dec pertànyer a una altra espècie animal, amb uns altres plaers i unes altres maneres de patir.

A més, continua en Blériot, que no en creu ni una paraula, ara només tinc dues camises, un parell de sabates i cinquanta-set euros al compte.

T'he deixat uns quants bitllets dins el calaix de la còmoda, però si no en tens prou, em pots demanar el que vulguis, li assenyala en Léonard, que sembla que està convençut que en el seu cas es tracta d'una monomania.

Cinc-cents seria massa?, pregunta en Blériot, en el precís moment en què en un parc de Londres la Nora li està demanant diners a en Murphy –semblen una parella de pidolaires professionals en acció.

En Blériot, així com la seva còmplice, s'embutxaca sense

protestar el xec de cinc-cents, del qual ja sostreu mentalment la meitat per solucionar el més urgent, tot escoltant com en Léonard li explica mentre es vesteix els detalls del seu nou idil·li –és la seva faceta enamoradissa– amb l'Omar i en Samir.

Pel que sembla, són dos cosins llunyans, oficialment estudiants, vagament futbolistes, que li han ofert acollir-lo a la seva casa de Casablanca.

A part del temps que dedico a aquests nois, la meva vida em sembla nul·la, li confessa en Léonard davant el seu aire escèptic.

Tu ets l'únic jutge, però de totes maneres t'aconsellaria, vist el teu estat, de ser prudent.

Hi he pensat, imagina't.

T'he de deixar, tendre i feble amic meu, li diu llavors en Léonard, que torna a ser tot un senyor, i els perills en què tots dos ens trobem fan que aquesta separació sigui ben empipadora.

Estic convençut que tot sortirà bé, el tranquil·litza en Blériot portant-li les coses al replà, mentre en Léonard, que es creu obligat a viatjar disfressat com el Gat amb Botes, es posa una capa i un gran barret.

Saps, estimat meu, li diu ell abraçant-lo, m'hauria agradat acabar la meva vida amb tu.

No diguis això.

Tenia ganes de dir-t'ho. I de totes maneres, això no fa pas morir, que jo sàpiga.

No, diu en Blériot.

Uns quants minuts més tard, es troba sol, assegut en una cadira del menjador, amb els ulls perduts en la llum aquàtica del matí.

43

Dorm sense parar. Hi ha dies que dorm entre dotze i quinze hores seguides, arraulit al llit, amb els cabells enganxats per la suor i afectat d'una letargia glacial. Sembla que, al mateix temps que rebutja despertar-se, la seva temperatura interior no deixa de baixar grau rere grau i les seves extremitats es refreden.

Probablement, són algunes de les conseqüències psicofisiològiques –però se sent massa cansat per reflexionar-hi– causades a l'organisme per la pena.

Fa dies que les cortines estan corregudes, la porta tancada, l'intèrfon desconnectat. L'habitació on dorm al fons del pis és tan hermètica i silenciosa com un tanc de privació sensorial.

Un despertador digital projecta l'hora al sostre (02.13... 11.03... 17.12... 04.21) com si girés en òrbita al voltant de la Terra ocupant el lloc de la gossa Laika.

De tant en tant, quan el timbre del telèfon aconsegueix despertar-lo –no és mai per a ell–, en Blériot s'aixeca tremolant per fer algunes passes pel pis i es queda una estona apostat a la finestra com un astronauta a l'aguait darrere l'ull de bou. A fora, plou sense parar.

Després d'haver begut una tassa de te, es fica de seguida al llit, arraulit entre els llençols rebregats, tancant els ulls i empenyent amb els peus per tornar-se a refugiar en la tebior amniòtica del son, fins que de mica en mica se sent caure en les espirals d'un embut fosc.

I se'n torna cap a una altra revolució.

De vegades es desperta per si sol al bell mig del dia, turmentat per un mal de cap que tot d'una li provoca la impressió que pensa amb un sol hemisferi. Decideix ingerir dues o tres aspirines i a dutxar-se amb aigua calenta.

Quan el dolor ha desaparegut, molt més tard, hi ha vegades que es raspalla les dents −té les incisives grogues com les d'un animal− i s'afaita amb la finestra oberta, en la remor de la tarda, amb la calma i la lentitud d'un opiòman.

De passada, aprofita per explorar la farmaciola d'en Léonard i agafar-li una mica de Valium.

Mentre espera que li torni a venir la son, en Blériot se'n torna a estirar-se al llit, amb les mans enllaçades sota la nuca i pres de tant en tant d'un desig sexual sense objecte com quan tenia tretze o catorze anys.

Amb la seva regressió, no és impossible que ben aviat acabi prostrat al llit, abandonat per tothom, amb el cos i l'ànima encarcarats, i l'esperit envaït de preocupacions libidinals primàries.

I, de totes maneres, sap que s'ho haurà ben merescut.

Un dia, deixa de dormir. Ha esgotat el seu crèdit de son.

Continua estirat al llit, indiferent, una mica dolgut, dirigint la mirada cap a l'escletxa entre els finestrons que deixa passar un petit rectangle de llum grisa.

De tant en tant, sent un riure de noieta al tercer o al quart, que sent tentinejar −la netedat de les seves percepcions el tranquil·litza pel que fa al seu estat mental− com una campaneta agitada pel vent.

A fora, plou tan lleugerament, tan imperceptiblement, que es veu obligat a estendre el braç per convèncer-se'n, aprofitant per airejar-se la cara.

Diríem que, des que no espera res més ni ningú més, el món per fi li és retornat en la seva objectivitat, amb els carrers buits, els gossos mullats, les parelles desconegudes, els arbres florits, i que el seu camp de consciència de sobte es veu eixamplat.

Si no passés els dies preguntant-se a què podrà dedicar el seu temps, gairebé seria feliç.

De vegades fa algunes compres al supermercat de la cantonada, a baix del carrer de Meaux, preferentment al final del matí perquè és l'hora dels mandrosos, dels desenfeinats, dels asocials, i ell, en definitiva, sent que pertany una mica a la mateixa família.

Com ells, té predilecció per les inacabables sèries americanes que mira una vegada i una altra a la televisió, dient-se que fins que no sàpiga com acaben –cosa que no es per a demà– no li podrà passar res greu.

Els pocs dies que no plou, se sorprèn al bell mig de la tarda tornant a peu als Lilas, fent exactament el mateix recorregut d'abans, aturant-se als mateixos llocs, com si fos víctima d'un ritualisme sense contingut.

Es queda palplantat davant el portal de la casa i recolza el front contra la reixa –la mala herba i les gramínies han envaït la gespa–, mentre recorda aquells vespres en què la Nora apareixia sota el marc de la porta, amb la camisa el doble de llarga o el mocador al cap, com una jove pagesa russa filmada per Eisenstein.

Al voltant, el barri no s'ha mogut, i algunes vegades pensa que al capdavall no té cap foto, cap prova que no ho hagi somiat tot i que si truqués a casa dels veïns, potser li contestarien que la casa fa anys que està deshabitada.

Amb el pas dels dies, en Blériot, gràcies a la seva estranya capacitat de reanimar-se, surt per fi d'aquesta crisi *post separationem* força abatut però intacte, preservant la integritat dels seus mitjans.

Com que des de fa algun temps se sent amb una mica més

de forces, en tot cas més proper al seu estat normal, fins i tot ha tornat a encendre l'ordinador.

Tradueix, a raó de tres o quatre hores diàries, una comunicació americana sobre certes degeneracions de l'aparell neurovegetatiu –creuríem que està escrit per a ell– plena de termes tan esotèrics com els procediments de neuroquimiotactisme o els microtúbuls col·loïdals, que arrenglera tranquil·lament sense fer-se preguntes.

Per donar-se una mica d'ànims i estimular el seu sistema motor, fuma i beu gairebé sense parar amb la música de Duke Ellington i la seva gran orquestra de fons.

Quan de tant en tant aparta la mirada de la pantalla, veu, procedent dels passeigs de les Buttes-Chaumont, la llum apagada, elegíaca, del final del dia, i aquests minuts de bellesa robats al temps social són llavors suficients per acontentar-lo.

Enmig d'aquesta vida trista, purgada de les passions i disciplinada per la feina, fins i tot s'arriba a dir que ha nascut per viure sol i traduir pàgines de l'anglès, de la mateixa manera que els falcillots penjats als arbres del parc han nascut per empassar-se insectes.

Al vespre, fuma plàcidament a la finestra al mateix temps que ho fa la gent asseguda a les terrasses o als bancs del carrer Manin –és una autèntica petita societat–, cadascú xuclant el seu cigarret com si es comuniquessin en la penombra a través de senyals lluminosos.

Fins aquella nit de juny en què la idea que ha d'anar tant sí com no a Londres per retrobar la Nora –idea que devia estar amagada des de feia setmanes als lòbuls obscurs del seu cervell– li travessa l'esperit a la velocitat d'un estel fugaç quan tanca la finestra.

44

L'endemà –al començament era l'acció–, ha reservat una plaça cap a Londres en una companyia *low cost*, ha escrit una nota d'agraïment a en Léonard, li ha regat les plantes, li ha netejat el pis de dalt a baix i ha deixat totes les finestres obertes de bat a bat.

Un cop les habitacions s'han airejat i exorcitzat, en Blériot recull les quatre coses que té i se'n va fins al garatge del carrer de Belleville –en principi, la seva dona és a Alemanya– per deixar-ho tot i passar a buscar la seva maleta al portaequipatge del cotxe.

Amb la voluntat de regenerar-se, es concedeix, fins i tot, un dinar copiós en un restaurant i s'afanya tot seguit a agafar el metro per arribar a Roissy CDG.

Marxar de França tot d'una és com una absolució, una alliberació o, si més no, un alleujament de la pena. La prova n'és que sota els seus aires de mig depressiu, en Blériot, un cop a l'aeroport, torna a estar tranquil.

A l'avió, balanceja el cap recolzat a la finestreta com si patís altre cop d'hipersòmnia, mentre el record de la Nora amagat dins seu com una puça electrònica projecta davant els seus ulls imatges dels dies feliços, dels dies en què ella encara era entremaliada i divertida, durant tota l'estona que sobrevola el mar.

El retorn a la realitat no pot ser més traumàtic. El fred a la passarel·la telescòpica, el cel plujós, les cues d'espera, les impertinències de la policia i les files de cares anònimes a la zona d'arribada, el fan tornar de sobte al sentiment de la seva fragilitat i del seu abandó.

Sentiment que es materialitzarà més tard a la sala de recollida de maletes de British Airways –després d'esperar una hora i mitja– quan la seva maleteta negra sortirà la última, girant tota sola sobre la cinta transportadora.

Aquesta nit, al seu hotel del Barbican, en Blériot, desanimat per la tempesta i les trombes d'aigua que inunden els carrers de Londres, es queda tancat a l'habitació, estirat davant la pantalla del televisor –un dia, votarà al Big Brother– mentre buida una darrere l'altra les ampolletes del minibar esperant amb paciència que li vingui la son.

Al matí, mentre camina recorda que la Nora li va parlar diverses vegades d'un cafè d'Islington on anava sovint, el Bertino o el Bernini –al final és el Bernardino's–, que algú li diu que és al final d'Upper Street, en direcció a l'antic estadi de Highbury.

Seu al bar una estona, sense reconèixer ningú, escoltant distretament, recolzat contra el vidre, les veus dels estudiants darrere d'ell –partícules de sons i pols volàtils– tot bevent-se a glopets el primer martini del dia.

La cambrera és nova i no coneix cap Nora. Però li promet que ho comentarà a l'amo.

En Blériot demana, aleshores, un altre martini –sembla que l'alcohol afila el sentit metafísic– i surt amb la copa a la mà per gaudir d'un raig de sol a la terrassa.

Somiejant a plaer, en aquest moment no té gens de ganes de parlar amb ningú. Mira com la gent va i torna pel carrer en una mena d'atenció flotant, amb el cap una mica inclinat i els ulls parpellejant com si provés de fotografiar l'atzar.

L'amo, un homenet fosc amb una corbata de ratlles, li declara després de presentar-se que ha guardat una imatge molt precisa de la Nora, encara que fa molt temps que no l'ha tornat a veure.

Era una dona simpàtica, però una mica curiosa i fantasiosa, recorda ell fent servir un passat necrològic que no deixa de pertorbar el seu interlocutor, fins que un petit detall –els bessons que de tant en tant passejava pel barri– no dissipa finalment el malentès: sembla que no parlen de la mateixa Nora.

Sense cedir al desànim, en Blériot va amb un cop de taxi fins a Camden, on ella va assistir a uns cursos de teatre, després a Earl's Court, on viu la seva millor amiga, el nom de la qual ha oblidat, abans de creuar el Tàmesi encara en taxi per dirigir-se cap a Greenwich, on figuradament la seva germana té una casa o un pis.

Amb una tenacitat de la qual no s'hauria cregut mai capaç, tenint en compte el seu caràcter més aviat vel·leïtós, en Blériot interroga cada vegada les persones susceptibles d'haver-la fre-qüentat o només entrevist aquí o allà –començant pel personal dels bars–, però ningú no es recorda mai d'ella. Com si fos transparent.

Però ell continua buscant-la l'endemà i l'endemà passat, pujant pels carrers de Londres a contravent, amb l'enyorança contínua de la seva addicció amorosa, i de tant en tant es troba, sota una pluja batent, en llocs tan improbables com Lillie Road, Maida Vale o Egypt Lane –on en comptes de piràmides només hi veu una fila de botigues d'alimentació índies–, sense aban-donar en cap moment ni deixar de perseguir-la de carrer en carrer com es persegueix una sensació pura.

Fins al punt que, de sobte, a causa de la feblesa i la fatiga, uns dobles de la Nora comencen a aparèixer una mica pertot arreu: una florista, una secretària amb tacons d'agulla, una dona de negocis d'ulls marrons, una estudiant amb gavardina i fins una col·legiala insensata que sembla que camini sense tocar el terra –aquesta última perseguida per en Blériot a través de tot Holland Park, fins que la nostàlgia el deixa sense forces.

Quan torna al Bernardino's, en Blériot, sempre tan com-pulsiu, s'afanya a demanar un licor i a seure al mateix lloc, a la terrassa, per aprofitar la claredat fluida del matí, mentre espera que l'amo tingui l'amabilitat de dedicar-li uns quants minuts del seu temps.

Absort en la seva contemplació, no ha vist l'home entaulat a l'interior del local –totalment d'esquena a ell– que sembla que discuteixi amb la cambrera, sense treure-li la mirada de sobre.

Al cap d'una estona, l'altre ha agafat les seves coses i també ha sortit a la terrassa.

Em permet que segui?, pregunta ell, apareixent com una ombra al camp visual d'en Blériot.

Mentre esbossa un moviment cap enrere i fa un esforç d'acomodació òptica, percep davant seu una mena de gegant ros amb vestit de tres peces, la cara gravada i els ulls amagats darrere unes ulleres blaves.

Sóc en Murphy Blomdale, diu ell, potser coneix el meu nom per la Nora. M'han dit que la buscava.

La seva veu de baix, una mica nasal, ressona estranyament com si sortís per l'obertura d'un elm.

Durant algunes desenes de segon, en Blériot, que s'ha posat molt pàl·lid, com si sabés que era l'instant fatal, l'instant tan temut, se'l mira amb els ulls esbatanats, abans d'adonar-se que no li queda altre remei que allargar-li la mà.

Louis, diu ell, Louis Blériot-Ringuet.

En la seva emoció, de ben poc que no li toca també el braç i l'esquena per comprovar que no és una aparició.

Dos whiskies dobles, demana aleshores en Murphy Blomdale a la cambrera per celebrar l'esdeveniment.

En aquest instant, en Blériot es fixa en un gos negre ajagut als seus peus, amb el musell sobre les potes, d'aspecte temorenc i el vell pèl esborrifat pel vent.

Que és seu?, pregunta ell tot acariciant la bèstia amb la mà per dissimular.

De cap de les maneres, contesta el de davant d'ell, els gossos em van al darrere només sortir de casa. M'agraden força i crec que ells ho saben.

Els gossos tenen una capacitat de ser feliços que em commou, continua mentre es treu les ulleres i i el mira fixament amb uns grans ulls tan pàl·lids com els d'un nounat.

En Blériot, que no sap què dir —no li agraden gens, els gossos—, li veu en aquest moment una zona de malestar a la mirada que no arriba a delimitar del tot, perquè la petita lluïssor del dolor no deixa d'aparèixer i desaparèixer.

Estic content que hagi vingut, li diu de sobte en Murphy amagant-se de nou darrere els vidres fumats.

En realitat, no sé ben bé què hi faig, a Londres, li confessa en Blériot, tinc la impressió d'haver vingut a una cita on no m'espera ningú.

La Nora ha canviat molt des que va tornar de París, li declara l'altre amb la seva estranya calma. Viu reclosa a casa de la seva germana Dorothée i m'atreveixo a creure que la seva visita li anirà bé, perquè ara mateix està molt desmoralitzada.

M'ho temia una mica, diu en Blériot, que encara es recorda de l'última sessió als Lilas.

Després, tots dos es queden callats, amb un aire prostrat, igual que dos vidus asseguts al banc d'un parc públic, cadascú conscient de ser el protagonista d'una història que ha acabat malament, en part per culpa seva.

Suposo que s'ha de provar d'arreglar allò que encara es pot arreglar, assenyala ell. Creu que la seva germana acceptarà rebre'm?

No en tinc ni la més mínima idea, a mi només me l'ha deixat veure una sola vegada.

El millor, em sembla a mi, seria anar a Greenwich —té l'adreça en aquest mapa— sense avisar, li aconsella finalment en Murphy, que s'aixeca com si ja hagués parlat prou per avui.

Espero tenir el plaer de tornar-lo a veure, afegeix ell, amb la seva veu esmorteïda per l'alcohol.

45

Arribat el moment, el coratge l'abandona i té ganes de girar cua. Quan el taxi desapareix, es queda uns quants minuts al peu de l'edifici, fumant un cigarret rere l'altre, sense saber què fer. Un cop a l'escala, l'ansietat li paralitza els músculs.

Segons la placa, viuen al tercer.

Que podria veure la Nora?, li pregunta a una dona baixeta i morena, amb la cara una mica trista, que s'imagina que és la Dorothée. Em dic Louis.

No crec que sigui gaire bona idea!, crida darrere d'ella una veu d'home. La teva germana ni tan sols està avisada.

Tot seguit hi ha un silenci incòmode, que en Blériot aprofita per ficar-se per l'escletxa de la porta.

Entri un moment, li diu ella al final amb un to reticent. El seu marit, en canvi, es queda palplantat al fons del passadís, amb els braços plegats, com volent manifestar la seva desaprovació –personalment, ell era partidari d'ajornar aquesta trobada *sine die*.

L'alçada més aviat modesta, la barba de pera i el cigar li donen un aire de Sigmund Freud, però aparentment amb menys profunditat.

Al menjador, una gran dona pèl-roja –que sembla que no opina sobre el tema– tria uns comprimits amb els gestos professionals d'una infermera.

Ja deu saber que la Nora no està bé, comença la seva germana; a continuació li demana que segui. El metge, que d'altra banda es nega a fer un pronòstic, parla d'un esgotament psicològic que podria ser conseqüència d'una situació irresoluble, li fa saber mirant-se'l fixament.

De manera que podem provar de tractar el símptoma, però no la causa. M'entén? La causa, no.

En Blériot, que cada vegada té més la impressió de ser en un tribunal, se l'escolta amb la nuca i les espatlles encarcarades de tant concentrar-se, mentre es belluga de tant en tant sobre la cadira tement el que li anunciarà.

En tot cas, amic meu, pot estar orgullós de vostè, ha fet una bona feina, conclou per la seva banda el marit de la Dorothée, abans de fer petar la porta del seu despatx per deixar clar que se'n renta les mans.

Passat un primer moment de sorpresa, en Blériot insisteix, malgrat tot, a protestar davant la Dorothée contra totes aquelles al·legacions referents als maltractaments als quals ell hauria sotmès la seva germana.

Me l'he estimada com no he estimat mai ningú, li confessa ben fluixet a causa de la infermera.

Vaig a veure si no dorm, però probablement serà la darrera visita que li faci, l'avisa ella precedint-lo pel passadís.

Quan empeny la porta de l'habitació banyada en la penombra –una habitació tota nua i carcerària–, en Blériot té la sensació de rebre una descàrrega de desfibril·lador que el fa recular dos metres.

Davant seu, veu una forma humana ajupida a la punta del llit. Una forma que respira sorollosament.

Com que està amagada sota el llençol com sota una tenda de campanya, només li veu la forma del cap i d'una de les cames a través de la tela.

No tinc ganes de veure't, li declara ella.

Absolutament consternat, es queda un moment clavat enmig de l'habitació, que fa olor de resclosit i de desinfectant, i de seguida tanca la porta per por que els altres no assisteixin a l'escena.

M'has sentit?, diu ella.

Empès per una necessitat d'ajudar-la, de curar-la, de despertar-li el desig de viure i de sortir d'aquest calabós, s'ha apropat molt suaument al llit.

Nora, escolta'm, t'he vingut a buscar, et vull portar a París, li xiuxiueja ell ficant un ull sota el llençol i descobrint-hi un braç pàl·lid i una mà tan feble, tan indiferent, que en queda sorprès, just en el moment en què ella li clava un mastegot.

Vés-te'n, Louis, la teva dona t'espera, li mana ella amb una estranya veu monòtona, una mica brunzent, mentre es torna a ficar dins el refugi.

En Blériot, sota l'efecte de l'aclaparament, s'allunya del llit i se'n va a seure en una cadira a prop de la finestra, resignat a deixar-li obrir les comportes de la gelosia. Però ella no diu res.

Com tranquil·litzada, s'ha posat altre cop a panteixar suaument sota el llençol mentre ell, perdut en els seus pensaments, mira el Tàmesi gris a l'altre costat del carrer, absorbit per l'espectacle dels vaixells i del ocells marins.

És l'habitació de *La gavina,* assenyala ell. Sense que ella respongui.

Què pot fer per ella?

Sempre estava tan excitada, era tan inestable, que feia molt temps que sabia que tot això havia de passar.

Ara és com algú que de tant tenir un peu en la normalitat i l'altre en la anormalitat, s'ha partit en dos pel mig.

Quan ell s'allunya de la finestra, la Nora està asseguda gairebé del tot, sense el llençol i amb les cuixes recollides contra el pit.

Ella l'observa d'una manera estranya, girant el cap tan aviat cap a la paret com cap a la finestra, amb uns ulls sense profunditat, uns ulls gairebé apagats com si ja només fossin alimentats per un corrent alternatiu.

M'has buscat durant gaire temps?, li pregunta ella.

T'he buscat a tot arreu durant dies i dies. Tinc la impressió de no haver fet res més.

M'has buscat i m'has trobat, conclou estranyament.

Et deu costar una mica reconèixer-me, continua, sense deixar de girar el cap. La meva joventut ha acabat, la meva primavera ha finalitzat.

Com que ell no sap què respondre, ella es posa a plorar en silenci al llit, embolicada amb un jersei vell, el cap mig rapat i els grans peus prims ajuntats l'un contra l'altre.

Vine al meu costat, li mana de cop i volta. No et quedaràs a la cadira tot el dia.

Ell hi ha anat a seure com un autòmat.

Adoptes aquest aire tranquil i pacient amb mi perquè tens por d'explotar. Sento que tens por de les teves emocions, Louis.

És veritat, Neville, però deixa de plorar d'una vegada.

Mentre li acaricia els cabells fets malbé i l'abraça de la manera més misericordiosa que pot –perquè encara és *ella*–, durant uns segons en Blériot té la sensació que abandona el seu cos pel d'ella, com en una experiència d'extracorporalitat, i que ell també tremola i s'asfixia en aquest llit.

Es queden abraçats l'un a l'altre, agafats de la mà, en la claredat blanca de l'absurd.

Ara escolta'm, li diu ella ben fluix. Ell escolta.

Louis, t'ho suplico, no tornis més i no em telefonis més, tret que no sigui per dir-me que vols un fill.

Em fas massa mal, li diu ella a cau d'orella just quan la seva germana obre la porta.

46

A fora, comença a caure la foscor. En Blériot, reprimint-se les llàgrimes, camina ara amb passes apressades pels molls, fulminat, desemparat, sordament atret per les aigües negres del riu.

En aquest indret, el Tàmesi és tan ample com un braç de mar i a la riba del davant les grans construccions de vidre sembla que es moguin amb la marea. Les botigues dels molls estan buides, les terrasses colpejades pel vent d'alta mar.

De tant en tant s'atura per mirar el corrent i s'imagina vivint amb la Nora a la vora de l'aigua, escoltant tranquil·lament com divaga i malgasta la seva vida amb somnis buits, mentre la vigila amb la tendra ansietat d'un nuvi eternament rebutjat. Fins que fossin massa grans o massa sords l'un per a l'altre per continuar xerrant.

Seria una vida dolça i una mica decadent. Més envejable, malgrat tot, que aquesta vida de catatònica amagada sota un llençol de llit.

Cansat dels molls, mort de pena, agafa el metro a Jamaica Road, on en deixa passar dos o tres, sense saber on anar, abans d'aparèixer a Waterloo i errar a l'atzar per les esplanades on no hi ha ni un gat.

Un cop ha creuat el pont, l'aire sembla més suau, els cafès i els restaurants encara estan oberts, amb la gent entaulada a la penombra.

He de beure alguna cosa, pensa, quan de cop i volta sent la vibració del mòbil.

Louis, la teva mare camina des de les sis del matí. Em torna boig. Ho fa caure tot.

No l'hi pots impedir?

S'ha tancat amb clau.

Apaga el llum i vés-te'n a dormir, li diu ell. S'acabarà adormint.

Dut per la seva entropia personal, en Blériot demana dos martinis –més un vodka d'acomiadament–. A la sortida s'adona que l'han estafat, com a mínim li han cobrat un vint per cent més del preu marcat, com si es tractés d'un nou impost sobre la desesperació dels clients.

Se'n torna a peu cap al centre, amb ganes de dissoldre's entre la multitud, i s'acaba perdent pels voltants d'una estació, on ja no hi queda ni una ànima –només passarel·les i carrers buits–, amb la sensació sobtada, gairebé excitant, que camina per una ciutat imaginària el nom de la qual té a la punta de la llengua.

Pel camí, es fica en un bar ple d'insomnes, que tenen els ulls vermells de no dormir, i es pren un daiquiri de plàtan a la barra, amb l'orella parada en la veu de l'Otis Redding –cosa que no el rejoveneix– mentre la veïna de la dreta prova en va d'encetar una conversa amb ell.

I can't hear you, s'excusa ell posant-se les mans sobre els timpans.

Al carrer de davant, tres nois, amb les cames eixarrancades, orinen alhora a la paret d'un magatzem. Els tres caps inclinats sota la lluna estiuenca.

Quan tanquen, tothom se separa en petits grups, els uns aguantant els altres, i en Blériot es torna a posar a caminar tot recte, amb les cames anquilosades i els peus torturats com els de la seva mare, a caminar incansablement durant tota la nit –reconeix el barri de Bayswater– com si a ell també li haguessin implantat una part minúscula de l'energia terrestre.

Una mica abans de les deu, en Murphy, amagat darrere les ulleres blaves, està assegut a la terrassa del Bernardino's, amb dos gossos pelats ajaguts al peu de taula.

De veritat creus que vindrà?, li pregunta la Vicky Laumett estenent les cames al sol. Com es deia?

Louis Blériot no sé què. Sempre m'oblido del seu nom.

Potser és el fantasma de l'aviador.

En principi, ja hauria de ser aquí, continua ell amb una veu impertorbable. Malauradament no tinc el seu número de telèfon.

I què t'ha semblat?

Evidentment, la situació era força estranya, però m'ha fet bona impressió, admet ell després de reflexionar un moment. D'altra banda, m'he penedit de no haver-li proposat que s'estigués a casa meva, a Islington. Hauríem pogut xerrar més estona i hauríem pogut anar un dia junts a veure la Nora.

Ja no sé si t'ho he explicat, però la Nora, des de Coventry, sempre ha suscitat al seu voltant aquests somnis de solidaritat a la *Jules et Jim*, tant en les noies com en els nois.

Cosa més aviat curiosa, afegeix ella mirant-se'l de biaix, amb alguna cosa suau i una mica esquerpa en l'expressió de la cara que el deixa ben parat.

També s'ho deu haver passat malament amb la Nora, pensa ell.

Saps, segurament em divorciaré, li diu ella de sobte. La història amb en David ja no té cap sentit. Fins i tot crec que fa mesos que no he sigut feliç ni un sol dia.

No dius res?

No, fa ell amb el cap.

El pitjor és que té un aire tan enfonsat al seu racó, tan infantil, que no aconsegueixo separar-me'n.

En Murphy continua sense dir res.

Com sortida d'una època llunyana, tan morta com Nínive, li torna la imatge de la Nora caminant a ple vent per l'andana d'una estació i fent grans gestos amb les seves mànigues.

Oh, l'afecció humana, declama ella imitant la veu de l'actriu Helen Mirren, la terrible afecció humana, és inaudit el que ens pot costar!

Per què diu allò en aquell moment? I a propòsit de què?

Era una estació del País Basc, a prop de Sant Sebastià –viatjaven junts per primer cop–, amb uns murs emblanquinats, una placeta buida i unes jardineres de llorers blancs. Esperaven un altre tren tremolant al sol, embotits en els seus abrics. Semblaven feliços. Les seves ombres feien l'olor dels començaments de primavera.

Aleshores, per què es queda recargolat en un banc sense dir res, com pres per un pressentiment?

A propòsit de l'afecció humana?

Li has donat l'adreça de la Nora a Greenwich?

Sí, m'ha dit que hi aniria a la tarda, contesta ell uns segons més tard com si tornés a connectar amb la Vicky per una altra línia.

La Dorothée diu que triga dues hores a anar d'un lloc a l'altre del pis. No tinc ganes de veure-la en aquest estat, confessa ella.

Vicky, si vols prendre alguna cosa, l'interromp ell, crec que valdria més que demanéssim a dins.

Creus que encara pot venir, el teu aviador?, li pregunta tot mirant-se el rellotge.

No, ara estic convençut que ja no vindrà, respon ell sense emoció aparent.

47

Fa dies que viatja cap a Antibogeria. La Nora dorm tranquil·lament al seu costat, amb les cames sobre el seient i el cap recolzat contra el vidre del vagó. Va maquillada i duu una perruca rossa, probablement per amagar els efectes de la seva malaltia. Perquè ha envellit deu anys de cop, com s'envelleix als contes.

Un matí es desperten a la vora d'un camp que hi ha al llarg de les vies, amb la impressió d'haver caigut del tren. El paisatge de prats i bardisses és limitat a la llunyania per uns turons. Uns bancs de vapor es comencen a elevar pels vessants exposats al sol.

L'herba és alta i avancen tot recte aixecant els peus, gelats dins els seus vestits d'estiu –no sap per què s'ha posat una corbata negra–, mentre tot al llarg del camí uns pollancres remoregen al vent con dotats de sensacions.

Però Antibogeria és un lloc que existeix de veritat?, s'amoïna ell des de fa una estona.

Don't worry, be happy, li respon ella cantussejant amb una veu estranya, una mica dessincronitzada.

En Blériot, sense dir res, s'estranya mentre camina de trobar-la tan dòcil i despreocupada. No es capfica mai, no es pren mai les coses malament i confia del tot en ell quan cal prendre una decisió.

En realitat, li costa reconèixer-la.

De tant en tant ella encara cau en llargs silencis en què la mirada se li apaga instantàniament, però com que ella mateixa afirma que és per no cansar-se, ell posa cada cop cara d'entendre-ho.

No siguis tan ansiós, el tranquil·litza ella, sóc al teu costat.

Passat un pont, arriben a la vora d'un bosc davant un gran jardí assecat per l'estiu, on una dona jove amb un rascle a la mà es dedica a cremar arrels i fulles mortes.

El vestit brodat que porta, el mocador lligat sota la barbeta, els fan pensar que deu ser sèrbia o búlgara, i no s'atreveixen a parlar-li.

Què hi fem, a casa d'aquesta gent?, xiuxiueja ell, no entenc què maquines.

Han acceptat llogar-nos la caseta que és darrere la seva, per al dia que tinguem un fill.

El dia que tinguem un fill?

Louis, vol un fill o no?, s'impacienta ella davant el seu aire incrèdul.

No ho sé, potser sí, li respon per no contrariar-la.

Mentre es queden vigilant el foc –la dona jove ha desaparegut–, la Nora li diu fluixet: Veus, Louis, com la vida pot ser simple i com podríem ser feliços junts?

És veritat, podríem ser feliços, repeteix ell adonant-se que tremola de cap a peus.

En baixar del tren, en Blériot es queda un instant a la plaça ventosa de l'estació, amb la jaqueta a l'espatlla i la maleta a la mà, gairebé estranyat de no veure la Nora al seu costat.

És aquí per fer alguna cosa concreta, però què? Per culpa del somni que ha tingut, li costa recordar-ho.

La responsable de l'agència de lloguer li explica amb paciència que el seu Opel negre és a la dreta de baix del pàrquing, davant l'hotel Continental.

Sobretot no s'oblidi d'omplir el dipòsit quan torni, li recomana ella tot allargant-li els papers del cotxe.

Un cop assegut al volant, primer es descorda el coll a causa del baf ambiental, després abaixa el para-sol i es mira un segon al mirall, impressionat un cop més de com s'assembla al seu pare.

A la sortida de la ciutat, just abans de la zona comercial, gira cap a la dreta com diu el mapa i agafa un carrer anònim vorejat d'edificis baixos i de torretes velles.

En principi, la clínica és al final de tot, a l'altre costat de la rotonda.

Durant un moment, espera assegut en una de les banquetes del vestíbul d'entrada, penosament afectat per la visió del linòleum gris i de les empremtes de dits sobre els vidres.

És l'habitació 28, segon pis, li diu finalment la noia de la recepció.

En entrar a l'habitació –han abaixat a mitges les persianes–, primer veu la seva mare, vestida amb una brusa clara i una faldilla negra, que li gira l'esquena sense semblar que l'hagi sentit.

S'està de peu enmig de l'habitació, amb una mà aferrada al muntant del llit i l'altra aixecada prement-se, pel que sembla, un mocador contra la cara.

He vingut tan ràpid com he pogut, s'excusa ell abraçant-la.

Tot seguit, els seus peus el porten fins al llit.

Amb l'enorme bena al voltant del cap, el seu pare sembla un soldat ferit de gravetat estirat sota una manta. Té les galtes enfonsades, el nas pelat, els ulls una mica carbonosos.

Sembla molt jove i, alhora, molt llunyà, com si de forma deliberada hagués escollit tallar tota comunicació amb ells.

Ha deixat cap carta?, pregunta en Blériot sentint ressonar la seva veu dins l'habitació.

Res, ni tan sols unes paraules, respon la seva mare, que de cop i volta es posa a balancejar-se sobre els peus com un pèndol fins que a l'últim moment ell l'agafa i la convenç perquè segui.

Li han tret el catèter i han desendollat la màquina una mica abans de migdia, continua ella, enfonsada a la cadira, mentre ell mira el seu pare fixament, amb totes les seves forces, com si el volgués despertar.

Potser, just en el moment en què estava passant per sobre del parapet i franquejant la reixa de seguretat, una ventada d'angoixa li va apagar la petita flama de la consciència.

Potser ha rigut. Potser ja no era ningú.

Ens poden deixar un moment?, els demanen dos infermers que entren a l'habitació amb un carro i aixequen el mort a pes de braços per canviar-lo de llit.

Durant uns segons, mentre va fins a la porta i es gira, en Blériot li veu sense voler –per cert, no veu res més– els grossos testicles inflats que li pengen entre les cames.

Tot seguit, massa tard, tanca els ulls.

Després d'una breu crisi de nervis al lavabo, es mulla la cara i es queda una bona estona mirant-se al mirall tot enfonsant-se les galtes. A continuació, en surt calmat, si més no prou amo d'ell mateix per acompanyar la mare amb el cotxe com si ja hagués oblidat el seu dolor.

Cosa que no té res de sorprenent –el sol ara és a l'horitzó–, ja que el seu dolor no l'oblidarà pas.

Louis, t'ho prego, no em deixis sola.

Sóc aquí, prou que ho saps, li diu ell veient arribar al seu encontre un mur de llum taronja, molt pura, i accelerant sobtadament.

48

A aquells que estan acostumats a trobar-se'l pels carrers de Niça, en Blériot els deu semblar un home més aviat trist, inexpressiu i, sobretot, curiosament solitari.

Sovint se'l veu a prop de la plaça Masséna menjant a l'hora de dinar una amanida i carn a la brasa, acompanyats d'una gerra de vi. No parla amb ningú i sembla que mengi amb una cura maníaca, concentrat en el seu plat, com algú que compta les calories.

En acabat, camina sota el sol al llarg del passeig amb pas relativament elàstic, vestit amb una mena de jaqueta amb caputxa, que només deixa veure el nas i el cigarret a la comissura dels llavis.

De tant en tant, el mòbil li sona a la butxaca interior de la jaqueta, sense que ell esbossi, la majoria de vegades, ni el més petit gest per agafar-lo, com si hagués fet un vot de silenci. Continua caminant per la vora del mar, tancat en ell mateix, encreuant-se amb gent que no ha vist mai enlloc i que no té cap intenció de conèixer, mentre a tot arreu al voltant d'ell la festa de l'estiu està al punt àlgid.

Des de fa un any viu en un piset en un carrer apartat, a prop del museu Jules-Chéret, un bell museu inútil i buit tal com a ell li agraden, i als jardins del qual passa una part de la tarda llegint els diaris.

Una mica més avall, pot veure sota la trama de les ombres les noies d'una escola privada que juguen al voleibol amb pantalonets blancs i dorsals grocs al pit com a l'època del Pop Art.

Quan fa menys calor, se'n va cap a casa i es torna a dedicar a la seva feina de subsistència, traduint unes quantes pàgines sobre les hormones adrenèrgiques, abans de concedir-se un petit martini primerenc i fer uns exercicis de musculació tot esperant que arribi l'Helena.

Després d'un seguit de malentesos, ella va deixar les maletes a casa seva encara no fa dos o tres mesos, i va decidir de manera unilateral que estaven fets per viure junts, sense que ell s'atrevís a protestar, com si finalment ella fos millor jutge que no pas ell.

L'Helena és una estudiant de musicologia de la Universitat de Bucarest que no coneix Massenet –sens dubte és el que més greu li sap a ell–, però que té idees sobre tot, en concret sobre el desenvolupament il·limitat de la consciència i les diverses formes de realització transpersonal.

A part d'això, és tan reservada amb els seus sentiments, tan poc expressiva, que en Blériot ha renunciat a saber si realment ella l'estima o no. L'única vegada que va provar d'abordar el tema, de seguida li va posar la mà a la boca, i ell no va insistir.

D'altra banda, ha abandonat tota curiositat en aquest àmbit, com en molts altres.

El seu interès desapassionat pels éssers i les coses es podria considerar com una mena de saviesa amarga o de fatiga de viure, i podria merèixer una reflexió, però no té ganes de pensar-hi i encara menys de discutir-ho amb l'Helena.

Quan ella s'ha acabat de dutxar i s'ha posat un barnús, porta els cabells recollits a sobre el cap amb una gran pinça, ell prefereix convidar-la a una copa de xampany al balconet. Es recolzen tots dos a la barana com si anessin a brindar al sol ponent i es queden així, xerrant en veu baixa, amb la pell envermellida i els sentits ben vius.

Quan surten del llit, de vegades se'n van a passejar per Niça amb l'excusa de trobar un restaurant o una terrassa de cafè acollidora. A causa de la calor acumulada per la pedra dels carrers, de seguida tenen les cames suades i caminen amb una sensació d'extrema lentitud buscant una bufada d'aire.

Louis, no em veig amb cor de caminar fins al centre, es queixa ella tot sovint. Faríem millor de seure aquí. A més, ja no hi haurà tramvies.

Com vulguis, convé ell encenent un cigarret.

Quan tornen, els seus veïns italians han tornat a aplegar tots els amics a la piscina i han posat la música a tot volum.

Per no passar per uns esgarriacries, en Blériot i la seva companya en general accepten compartir una copa o dues amb ells, abans de retirar-se a una hora prudent al llit –l'Helena té classes a les vuit, els diu– i adormir-se capiculats com uns nens una nit de revetlla.

És el teu mòbil, li crida ella des de l'habitació.

Hello, l'aviador?

És vostè, diu en Blériot.

Sóc a casa d'uns amics al cul de Brooklyn, li anuncia en Murphy, són les sis del vespre i al jardí estem a trenta graus.

En Blériot reconeix la seva veu de baix, ràpida, nasal, molt americana. Se l'imagina assegut a la veranda del jardí, amb les seves cames de gegant i les ulleres fosques, envoltat per una bandada de gossos perduts.

Em pensava que encara era a Londres, s'excusa ell, li volia telefonar un dia perquè em donés notícies de la Nora.

La darrera vegada que la vaig veure abans de marxar a Filadèlfia, contesta ell, anava a passar una temporada amb la seva germana a Cornualla. La vaig trobar millor, en tot cas, més estable, menys excitada. Però vostè, on és?

Tinc la impressió de no ser enlloc, confessa en Blériot. Sóc a Niça, però també podria ser a Tunis o a Dakar.

Estic segur, continua en una alenada de simpatia, que vostè

també la deu trobar a faltar. Encara s'enfada amb ella de vegades perquè no li dóna senyals de vida?

Louis, un dia les ànimes es retrobaran i tot es calmarà, diu en Murphy rient mentre se sent el rugit d'un avió al cel de Brooklyn.

Vostè hi creu?

És clar que hi crec, respon mentre continua rient. Ella també tenia motius d'estar enfadada amb mi i estic convençut que ja els ha oblidat.

Potser té raó, admet finalment en Blériot, conscient que l'altre té una maduresa que ell no tindrà mai.

Ara s'ha assegut al balcó, en la foscor absoluta –l'Helena es deu haver tornat a adormir–, amb l'ordinador sobre els genolls. S'esforça a treballar unes quantes hores amb l'esperança de retrobar un mínim d'estabilitat existencial i d'acabar, de passada, el seu article mèdic.

La noradrenalina, tradueix ell –per tant existeix, no se l'ha inventada–, és un compost orgànic, segregat al nivell de les glàndules suprarenals, que té un paper de neurotransmissor sobre els òrgans efectors.

La noradrenalina, continua ell teclejant, té concretament uns efectes molt potents sobre els receptors alfa i intervé de manera determinant en el procés dels somnis i de les emocions.

Feia anys que ho deia.

D'un dia per l'altre ha canviat d'estació. Al matí, acabats de llevar, s'afanyen a anar de compres entre dues trombes d'aigua.

Mentre l'Helena va de botigues amb el seu paraigua a la mà, en Blériot, tancat al cotxe, escolta la ràdio i mira com la tempesta s'acumula sobre el mar.

Una pluja interminable, opriment, cau sense parar sobre la

regió, inundant les carreteres i desbordant els rius, on s'ofeguen les bèsties i els homes. Els autobusos deixen de funcionar i tanquen l'autopista, cosa que fa créixer la sensació de desorganització general.

Des de fa dues setmanes passen els dies tancats entre les quatre parets del pis, com uns fugitius o uns clandestins deslligats del seu passat, que van d'un costat a l'altre sense saber què fer mentre miren com la pluja regalima al balcó.

En el seu desvagament, estan condemnats a dir-se si fa no fa les mateixes coses del matí a la nit, cadascú capficat en les seves produccions mentals i el seu sentiment d'aïllament.

Tant de bo que tornin a començar les classes, li repeteix ella reiteradament.

És divertit.

Fins i tot, sovint, ja no es diuen res de res i es queden tardes senceres jugant a les cartes i badallant l'un davant de l'altre com dos gats neurastènics.

Al vespre, quan l'Helena està prostrada al llit davant el televisor, en Blériot de vegades se li asseu al costat, amb aquella necessitat pueril, imperiosa, d'empènyer-la fins a les seves últimes resistències, fins que es despulli per si sola perquè la deixi en pau.

Després s'adormen donant-se l'esquena.

Tot i així, li continua passant, quan aixeca els ulls cap a ella —està donant voltes pel pis—, que s'emociona amb la seva fragilitat i la seva bellesa, i desitja de tot cor que les coses es puguin arreglar entre ells.

Mentre que, en realitat, se'l paga per saber que res no s'arregla mai i que probablement continuarà sent un home sense dona i sense descendència.

El dilluns 9 d'octubre —primer dia de bon temps—, l'acompanya a l'aeroport arrossegant la seva gran maleta de rodes pels carrers buits. Ha de passar uns deu de dies a París, abans de tornar amb la seva família, que viu a prop de Bucarest.

Segurament ens tornarem a veure d'aquí a uns mesos o d'aquí a uns anys, li diu ella tota divertida just quan ell s'entrebanca amb la maleta.

Personalment, preferiria que fos d'aquí a uns mesos, li confessa ell, encara estranyat de tenir les dues cames i el somriure per avançar. Perquè ja no es fa gaires il·lusions.

Mentre ella li enumera les diferents persones amb qui s'ha de trobar a París –entre d'altres, es tracta d'un tal Emile, de qui ja li ha parlat unes quantes vegades–, en Blériot veu al final de tot de les pistes d'enlairament el mar compacte, que brilla al sol, i es para en sec, sense sentir res més, com si hagués recuperat misteriosament el seu poder d'aturar el temps.

Quan torna en si, ja s'ha acabat.

És dins d'un autobús, ella li crida alguna cosa que no entén, ell li fa per si un cas un gest amb la mà i s'allunya en l'altra direcció, amb la cara una mica de perfil i encongint-se de mica en mica en la profunditat d'aquest final de tarda.

49

Un any més tard –però encara sembla el mateix final de tarda–, en Blériot està assegut al balcó, amb el cap protegit per un barret de palla i l'ordinador sobre els genolls. Parla amb la mare per telèfon –passa una temporada a casa de la seva germana, a Clermont–, després penja prometent-li que li tornarà a trucar.

Tot seguit, malgrat tots els seus esforços, no para de pesar figues davant la traducció com si tornés a tenir narcolèpsia. A baix, al jardí, de tant en tant sent els crits d'excitació de les jugadores de voleibol.

Cada vegada que tanca els ulls i deixa caure el cap, torna a veure la seva dona cantant al menjador del pis de Belleville –ell està amagat a l'escala– *You shot me down, bang bang, I hit the ground.*

I, en aquest moment, la seva veu ressona de manera extraordinària en l'escenari de la seva memòria, com amplificada per la distància.

Fa uns mesos, consultant el seu compte corrent, en Blériot es va adonar que ella li havia fet una transferència de cinc mil euros. Evidentment, li va enviar unes paraules d'agraïment i ella li va contestar sense estendre's gaire que havia marxat una temporada de París per motius de feina.

La setmana següent, li va enviar un darrere l'altre dos articles que havia escrit sobre Michelangelo Pistoletto, i va deixar d'emetre senyals definitivament, sense respondre a cap dels seus missatges, com un satèl·lit perdut a l'atmosfera.

Ja només li queda esperar que un dia la ciència, gràcies a la invenció d'una nova molècula, li restitueixi minut rere minut el record dels dies de felicitat –perquè n'hi va haver, per força– amb el milers de percepcions que, si no, desapareixeran per sempre, barrejades amb el fons obscur de la seva vida.

Des de fa algun temps, en Blériot s'ha adonat que li agrada el passat. No el seu passat: el passat en si.

La resplendor llunyana del passat.

Quan cau la nit, les palmes sacsejades pel vent comencen a picar contra els finestrons. Al davant, els veïns han encès els focus de la piscina i han posat música.

En Blériot, durant uns instants, té la impressió de viure en suspens, separat del món, amb el cor lliure i l'esperit animós –tal com li agradaria estar sempre–, fins que sona el telèfon.

Torna a ser la seva mare.

Louis, hi ha una cosa que no m'he atrevit a preguntar-te, abans: encara vius sol?

Encara. Però no t'amoïnis, no sóc gens desgraciat, la tran-quil·litza ell tot sentint com les fiblades de la migranya s'estenen pel seu costat esquerre, a partir de la part de dalt de l'orella.

Cosa que l'obliga a interrompre la conversa i a prendre dos comprimits d'Antalvic, amb una mica de Valium.

Un cop se li ha calmat el dolor, posa una vella pel·lícula de Sam Wood, s'embolica amb una manta de viatge i es queda mig adormit, els peus encreuats sobre la taula, esperant que la Ingrid Bergman, ben jove i ben arrissada com un anyell, li vul-gui fer una mica de lloc al seu costat.

Al matí, en Blériot té la impressió que emergeix del no-res, i de cop i volta es pregunta si som al 2009 o al 2019, abans de saltar del llit i esclafar-se contra terra com si caigués del cin-què pis.

Durant uns instants, es queda estès de través a la catifa, amb les mans premudes al voltant del cap, sentint el gust de la sang a la boca.

Un breu examen davant el mirall del lavabo li confirma que té el llavi inferior partit, dues incisives trencades i diversos hematomes al front, que evidentment s'afanya a netejar i a curar.

Però quan ha d'aixecar els braços per vestir-se, es veu obligat a comprovar –enmig del seu embrutiment conserva una mena de lucidesa paradoxal– la rigidesa inquietant dels seus moviments i la seva falta de coordinació.

No sap si ha d'atribuir el seu estat a l'addicció a l'alcohol i el Valium o bé a una fosca malaltia degenerativa.

En Blériot recorda a propòsit d'això que després d'un collapse, les injeccions de noradrenalina –encara hi tornarà– tenen la finalitat de provocar una pujada de tensió instantània, de manera que s'evita una descompensació mortal.

Però caldria que tingués noradrenalina a la farmaciola.

Quan surt, l'aire li sembla pesat, gairebé humit com abans d'una tempesta, mentre avança a passets pel passeig marítim, respirant a consciència i seient tot sovint als bancs, per por de tenir una altra indisposició enmig de la gentada i el trànsit ensordidor.

Procedent dels turons del rerepaís, un immens núvol lluminós i arrugat que s'ha aturat sobre la ciutat li crida, aleshores, l'atenció.

Les seves formes humanes són tan explícites, tan xocants –es distingeix clarament l'home i la dona–, que en Blériot no entén que els pares no obliguin els seus fills a mirar cap a una altra banda.

En comptes d'això, són centenars els qui s'amunteguen a la platja en banyador i amb ulleres de sol, amb els ulls girats cap a la mateixa direcció.

Més tard, mentre encara està assegut al banc, sense gosar moure's perquè cada vegada té més mal de cap, en Blériot veu tot d'un plegat, amb un esglai d'angoixa, un segon núvol lluminós suspès damunt seu com un plat volador.

A la platja, la gent s'ha quedat en silenci, atapeïts els uns contra els altres i amb una mà fent de visera sobre les ulleres, com si es volguessin protegir de la llum del futur.

I en aquest instant, lentament, el cos tirat enrere –duu la corbateta negra i les Converse– comença a lliscar pel banc.

50

Si és evident que a ulls de tothom existim sota una sola forma i un sol estat –amb una sola vida biològica–, en termes de probabilitat quàntica passa tot el contrari. Perquè l'univers se subdivideix de manera contínua en mons simultanis.

En aquest cas, existeix inevitablement un món, com per al gat de Schrödinger, on en Blériot ha mort d'un vessament cerebral, i un altre on és viu.

Està assegut al llit de la seva habitació, a dues passes de les Buttes-Chaumont. A causa del seu metabolisme alentit, ja gairebé no surt d'aquest pis que li ha llegat en Léonard, on s'amunteguen pertot arreu capses de pizzes i envasos de menjar xinès.

Passa la major part dels dies en un estat semiletàrgic i ja només reacciona de tant en tant al timbre de l'intèrfon: senyal que algunes de les seves terminals nervioses encara són vives.

En Louis Blériot encara viu en aquesta adreça?, pregunta algú a l'intèrfon.

Sóc jo, s'espanta ell mentre obre, sense saber-ho, la porta d'un univers paral·lel.

Aleshores es troba al replà cara a cara amb la Nora Neville, que porta un vestit d'estiu i un barret de campana i li fa una mirada una mica dissimulada.

Em reconeixes?, li diu ella traient-se el barret.

En aquell moment, li sembla que no té edat, amb una bellesa immòbil i gairebé inquietant que evoca la dels prototips o de les imatges en tres dimensions.

Com que a fora fa calor, han entrat a beure vi fresc a la cuina, ell a prop de la finestra, ella asseguda en un tamboret com a l'època dels Lilas.

Evidentment, podem pensar que cadascú té la seva petita idea d'allò que els passa, però que prefereixen guardar-s'ho per a ells.

En tot cas, amb prou feines es parlen, i es limiten a buidar les copes tot somrient-se amb aire beatífic com dos beneits.

Al mateix instant, com si fos en una altra part del pis, en Murphy Blomdale està esperant que la mateixa Nora s'hagi acabat de preparar —s'ha tornat a instal·lar a Islington— i que finalment pengi el telèfon.

Et recordes d'en Tyron?, li pregunta tot seguit portant-lo al menjador. L'amic de la meva germana que ens havia convidat la primera vegada al camp —era ell qui em trucava.

Com a mínim te'n recordes, continua ella, de les boniques cérvoles que ens espiaven per sobre les tanques quan vam anar a l'estany? I dels quilos de cireres que en Max Barney havia dut amb la moto?

Me'n recordo molt bé, contesta ell mentre la segueix dòcilment d'habitació en habitació com si tornessin a visitar amb el pensament les ruïnes de les seves emocions.

Tens pensat de treballar gaire temps més als Estats Units?

No ho sé, diu ell, depèn de moltes coses. Però de totes maneres, et pots quedar aquí, si vols.

A primera hora del vespre, agafen un taxi fins a Rotherhithe i van a passejar junts a la vora del Tàmesi. La Nora continua desgranant amablement els seus records i en Muprhy, amagat darrere les seves ulleres blaves, xiula unes melodies de Phil Collins mentre els llampecs de calor metrallen el paisatge, les teulades, els cotxes, els ponts i els vianants sobre els ponts. Tot està il·luminat.

En aquest univers vertiginós, en expansió contínua, també hi ha un món superposat als altres on la Nora ha estat sempre sola. Un món on ha actuat en dues o tres pel·lícules que no ha vist ningú i on, al final, se n'ha anat a viure amb el seu psiquiatre, un home molt gras, una mica estafador, reconvertit de fa poc al negoci dels intermediaris del vi.

Viuen a la regió de Tolosa en una mena de gran casa pairal amb vitralls, on ella passa els seus dies de dona abandonada jugant amb els gats i llegint novel·les policíaques.

No ha sentit mai a parlar de Leibniz.

Té cinquanta i pocs anys, la cara una mica botida, duu unes ulleres negres i unes faldilles molt curtes, i dins seu s'ha quedat aturada als disset o divuit anys.

D'altra banda, en un univers paral·lel a aquest, ella apareix al costat d'en Blériot –tan jove que sembla ser-ne la filla– mentre condueixen al sol ponent, entre uns camps de blat madur, paralitzats en una angoixa i un silenci tan grans –aviat se separaran–, que fan pensar en dos astronautes morts girant al voltant d'un planeta vermell.

En fi, també és probable que hi hagi una infinitat d'universos on ni l'un ni l'altre no han existit mai.